D1537357

© ADAGP 2006.

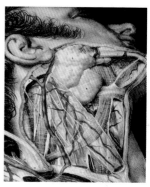

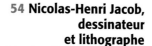

L'Estampille/L'Objet d'Art édité par Éditions Faton, SAS au capital de 343 860 €, 25 rue Berbisey - 21000 DIJON Adresse Internet : http://www.estampille-objetdart.com
Directeur de la publication : Jeanne FATON-BOYANCÉ Rédaction : Jeanne FATON-BOYANCÉ, Laurence CAILLAUD-de GUIDO, Séverine MERCEY - Tél. 03 80 40 41 12 - Fax
03 80 30 15 37 - redaction@estampille-objetdart.com Réalisation artistique : Bernard BABIN, Michèle LAPAICHE Photogravure : Raphaël PEYREL, Richard SIBLAS,
Éditions Faton Abonnements et numéros anciens : L'Estampille/L'Objet d'Art - B.P. 90 - 21803 Quétigny Cédex - Tél. 03 80 48 98 45 - Fax 03 80 48 98 46 -
abonnement@estampille-objetdart.com Petites annonces et courrier des lecteurs : L'Estampille/L'Objet d'Art - B.P. 669 - 21017 Dijon cedex - Tél. 03 80 40 41 12
Ont collaboré à ce numéro : Nathalie d'ALINCOURT, Frédéric ARNOULD, Thierry BAJOU, Armelle BARON, Benoît BERGER, Françoise BOISGIBAULT, Jérôme BOUCHET,
Sébastien BOUDRY, Joëlle Elmyre DOUSSOT, François DURET-ROBERT, Brice FOISIL, Michèle HEUZÉ, Rotraut KLEIN-MOQUAY, Alexis MERLE du BOURG, Camille MESTDAGH,
Françoise ROUGE, Elsa VALTAT, Marie-Jo VIDALINC, Annie YACOB Publicité : ARIANE RÉGIE - 54 boulevard Rodin - 92137 ISSY-LES-MOULINEAUX CEDEX - Tél. 01 41 08
01 01 - Fax. 01 41 08 88 77 - directrice de la publicité : Olga DIAZ, odiaz@arianeregie.fr - chef de publicité : Cécile CHARLAINE, ccharlaine@arianeregie.fr - assistante :
Christelle JEZEQUEL - partenariats et relations presse : Christina ROGER Ventes à Paris : Intermèdes - 60 rue de la Boétie - 75008 Paris - Tél. 01 45 61 90 90 Diffusion en
Belgique : TONDEUR DIFFUSION - 9 av. Van Kalken - 1070 Bruxelles - Tél. 02 555 02 17 - press@tondeur.be Abonnements en Suisse : EDIGROUP SA - Case postale 393 -
1225 Chêne-Bourg - Tél. 02 28 60 84 01 - Fax. 02 23 48 44 82 - abonne@edigroup.ch Diffusion : M.L.P. Impression : SIPE à Baume-les-Dames. Commission paritaire
0409K84745. ISSN 0998-8041. Imprimé en France / Printed in France Les chapeaux, légendes, titres et encadrés ont été rédigés par la rédaction. © 2006, Éditions Faton
SAS. La reproduction des textes et des photos publiés dans ce numéro est interdite. Les documents spontanément envoyés ne seront pas retournés.

Grand Palais : le portrait au tournant du XIXᵉ siècle

Entre 1770 et 1830, le portrait fut l'un des genres qui connut en Europe la plus grande évolution, en même temps que sa vogue se diffusait et atteignait de nouvelles couches de la société. Le Grand Palais revient sur ces soixante années décisives en rassemblant quelque 140 portraits français, anglais, allemands ou italiens de cette époque charnière.

Il est rare qu'une exposition d'ampleur soit consacrée à la fois à un genre unique et à son développement sur une courte période. C'est pourtant ce que propose cet automne le Grand Palais, en composant une galerie de portraits peints ou sculptés entre 1770 et 1830. Les codes de ce genre, encore considéré comme mineur au XVIIIᵉ siècle malgré son succès, connurent il est vrai durant cette courte période une évolution significative. Alors

Jacques-Louis David, Bonaparte franchissant les Alpes au Grand Saint-Bernard, *1800-1801. H/T, 260 x 221 cm. Rueil-Malmaison, musée national des châteaux de Malmaison et Bois-Préau.*

que le style passait d'un classicisme réaffirmé au romantisme, le portrait investissait d'autres pans de la société, gagnant dans le même temps en psychologie et en intimité. Le genre lui-même n'était plus l'apanage de peintres spécialisés, comme il le fut auparavant ; tous les artistes, y compris les plus fameux peintres d'histoire, s'y intéressèrent et participèrent de sa nouvelle définition. Ainsi découvre-t-on côte à côte, sur les cimaises du Grand Palais, les œuvres de Jacques-Louis David, Élisabeth Vigée Le Brun, Bertel Thorvaldsen, Antoine Vestier,

Jean-Auguste-Dominique Ingres, Joshua Reynolds ou Antonio Canova ; une diversité qui se veut représentative d'un genre de plus en plus présent dans la société de ce temps.

Images du pouvoir

Première des sphères investies par le portrait : celle du pouvoir et de sa représentation. Avant la Révolution, c'est en suivant le modèle du portrait royal établi au début du XVIIIᵉ siècle par Hyacinthe Rigaud que les peintres portraiturent Louis XVI ; en pied, le souverain est entouré des attributs du pouvoir (Antoine-François Callet, *Louis XVI*, 1789). La fortune de ce modèle atteint même l'Angleterre où il est adopté par Thomas Lawrence dans son portrait de George III (1792). Certaines effigies de Marie-Antoinette, en revanche, s'affranchissent plus clairement des conventions et annoncent une veine nouvelle, plus décontractée, moins formelle. Après la Révolution, c'est autour de la personne de Napoléon que se reconstruit le portrait officiel. Son peintre attitré, David, livre dans *Bonaparte franchissant les Alpes au Grand Saint-Bernard* (1800-1801) une image idéalisée du futur empereur, qui se place, avec ce portrait équestre dont la fougue est bien loin du néoclassicisme, dans la lignée d'Hannibal et Charlemagne. Autre lignée revendiquée par Napoléon Iᵉʳ, celle des empereurs byzantins, affichée par Ingres dans *Napoléon sur le trône impérial* (1806). À l'étranger, Goya insuffle une certaine humanité à la représentation du souverain (*Ferdinand VII en costume royal*, vers 1815). Comme le montrent déjà ces quelques exemples, le duel entre vraisemblance et idéalisation, entamé au XVIIIᵉ siècle, se poursuit à l'aube du XIXᵉ, et trouve en chacun des peintres une réponse différente selon sa propre sensibilité et selon la destination du portrait envisagé.

Portraits d'histoire et grands hommes

Portrait de chef d'État, l'œuvre précitée de David est intéressante à un autre titre, qui marque un tournant dans l'histoire du genre et trouve, en ce début de siècle,

de nouvelles expressions. Elle illustre en effet l'interpénétration des genres qui caractérise cette période, le portrait se faisant aussi peinture d'histoire. David en livra un autre exemple fameux avec *Marat assassiné* (vers 1794), tout à la fois effigie du révolutionnaire et évocation d'un moment clé de l'histoire de France. L'histoire d'un homme, par le biais de l'allégorie – Marat est figuré comme une victime sacrificielle, dans une pose rappelant les Pietà chrétiennes –, devient le symbole d'un événement, d'un moment, d'une attitude restés dans l'histoire. On retrouve cette dimension dans le portrait de Samuel Adams, porte-parole des citoyens de Boston, par John Singleton Copley (vers 1770-1772). Le lien réaffirmé du portrait avec l'histoire se manifeste par ailleurs avec une ampleur nouvelle dans le

Joseph Chinard, Juliette Récamier, *exécuté vers 1805-1806 d'après une terre modelée en 1801-1802. Buste en marbre, H. 80 cm, L. 42 cm, P. 30 cm. Lyon, musée des Beaux-Arts.*

À gauche. Francisco de Goya y Lucientes, Ferdinand VII en costume royal, vers 1815. H/Y, 206 x 143 cm. Madrid, musée du Prado.

À droite. Joshua Reynolds, Mrs Abington, 1771. H/T, 76,8 x 63,7 cm. New Haven, Yale Center for British Art.

culte des grands hommes, qui donne lieu à une vaste iconographie. On croise ainsi au Grand Palais le duc de Wellington, rival de Napoléon à Waterloo, peint par Sir Francis Chantrey (1823), Diderot sculpté par Houdon (1780) ou encore Mirabeau sculpté par Claude-André Deseine (1791).

Figures d'artistes

Parmi les hommes célèbres dont les traits furent fixés en peinture et en sculpture figurent les artistes eux-mêmes, soit sous leur propre pinceau, soit sous celui d'un de leurs pairs. Dans son autoportrait, Sir Joshua Reynolds est en pleine représentation ; il donne de lui une image très officielle, à l'opposé de celle du peintre travaillant dans son atelier. George Romney ou Jean-Baptiste Pigalle livrent une image plus intime, le second n'hésitant pas à scruter ses propres traits sans concession. L'exposition explore aussi le regard que posent les artistes sur leurs semblables. Le Danois Christen Købke peint en 1832 son compatriote Frederic Sødring tourné vers le spectateur, dans

une attitude chaleureuse, et entouré de ses attributs de peintre. Jean-Baptiste Louis Roman rend hommage à Girodet (1827), dont la renommée était alors considérable et qu'il représente en héros romantique. La reconnaissance de la célébrité que matérialisait le portrait fut bientôt revendiquée par une catégorie jusque-là peu représentée : les personnalités du monde du spectacle, en particulier les actrices et cantatrices. Sophie Arnould commanda ainsi à Houdon une trentaine d'exemplaires de son portrait en Iphigénie (1775) afin de les distribuer à ses admirateurs… De même, Joshua Reynolds donna une image non dénuée d'ambiguïté et devenue fameuse de l'actrice Frances Abington (1771), tandis que Goya s'attachait aux traits de la cantatrice Lorenza Correa (1886).

Le signe d'une ascension sociale

Ces actrices et cantatrices faisaient partie d'une couche de la société qui, alors qu'elle n'avait pas ou peu droit de cité avant la Révolution, acquit à son lendemain un nouveau statut : la bourgeoisie. Sur un pied d'égalité avec l'aristocratie, elle utilisa le portrait comme instrument de démonstration sociale ; comme elle, elle multiplia les portraits de famille, d'enfants ou d'adultes, à des fins essentiellement privées – même si ces portraits furent souvent rendus publics

par le biais des Salons – mais néanmoins ostentatoires. Parmi les plus beaux exemples de ces portraits privés figurent *Gertrude Alston* de Thomas Gainsborough (vers 1761-1762), qui place son modèle, en pied, dans un lumineux paysage, le célèbre *Louis-François Bertin* d'Ingres (1832), personnification de l'autorité et de la réussite, la non moins célèbre Juliette Récamier par Joseph Chinard (vers 1805-1806) ou encore quelques portraits de famille et d'enfants – genre très en vogue –, tels *Monsieur de la Forest, sa femme et sa fille* de François-André Vincent (1804) ou *Louise Vernet enfant* par Théodore Géricault (vers 1818). Autant d'œuvres qui, dans leur grande diversité, ont ceci en commun d'illustrer le pouvoir du portraitiste : celui d'influencer, par le contrôle qu'il exerce sur l'image d'une personne, l'opinion, voire l'histoire. **Laurence Caillaud-de Guido**

"Portraits publics, portraits privés, 1770-1830" du 4 octobre 2006 au 8 janvier 2007, au Grand Palais, tél. 01 44 13 17 17. www.rmn.fr/portraits
L'exposition sera présentée à la Royal Academy of Arts, à Londres, du 3 février au 20 avril 2007, puis au Solomon R. Guggenheim Museum, à New York, du 18 mai au 10 septembre 2007.
Catalogue, éditions RMN, 384 p. 49 €.
Hors-série de *L'EOA* n° 28, 72 p. 8,50 €.

Paysage, corps et métamorphoses

Le palais des Beaux-Arts de Lille présente à partir du 14 octobre une exposition originale abordant la question des relations complexes entre l'homme et la nature depuis la Renaissance jusqu'à nos jours. Le propos est étayé par une sélection de quatre-vingts œuvres rarement vues par le public, dont plusieurs paysages anthropomorphiques qui interrogent la place de l'homme dans l'univers.

L'homme est-il toujours dépendant, dans sa vision du monde, de sa propre projection, ou se conçoit-il comme faisant partie d'un ensemble ? C'est en somme la question de la place de l'homme dans l'univers – du moins, de l'interprétation qu'en donnent les artistes depuis la Renaissance – dont traite l'exposition organisée par le musée de Lille. Comme on le sait, la période de la Renaissance coïncide avec l'avènement de la pensée humaniste et sa vision du monde recentrée sur l'homme. Voici venu le temps des planches anatomiques, du corps humain scruté dans ses moindres muscles par les artistes. Pour Léonard de Vinci, le corps humain est à l'image d'un paysage : "si l'homme a les os, support et armature de la chair, le monde a des rochers comme supports de la terre". Sous le pinceau des artistes, le corps se transforme en paysage et le paysage en corps. L'un des exemples les plus

éloquents de cette relation complexe que l'homme est en train d'établir avec Dame Nature est sans doute celui des tableaux d'Arcimboldo. Ses célèbres compositions fantaisistes de fleurs, de fruits, de légumes ou de poissons en forme de portraits sont bien davantage qu'une curiosité ou une anecdote esthétique du XVIᵉ siècle. Ils nous interpellent par leur sens équivoque. Chez Arcimboldo, l'homme se métamorphose en un répertoire végétal et peut incarner une saison ou bien une divinité, comme l'illustre dans l'exposition la peinture *Flora*. Aux côtés de l'exemple attendu d'Arcimboldo, la problématique du paysage anthropomorphe est évoquée dans l'exposition par un choix d'œuvres éclectiques (tableaux, gravures, dessins bien sûr, ainsi que livres d'érudition et planches anatomiques). À partir du XVIIᵉ siècle, le paysage anthropomorphique s'apparente de plus en plus à un genre artistique et

Joss de Momper (1564-1635), Allégorie de l'automne. H/T, 52,5 x 39,6 cm. Coll. part.

En haut. Agnieszka Podgórska, série Possible, 2006. Photographie couleur sur aluminium, 60 x 90 cm. Collection de l'artiste.

connaît des développements variés en Europe, comme l'anamorphose. Vient ensuite le phénomène d'intériorisation du paysage, développé dans la section "Paysage érotique" de l'exposition.

On appréciera, dans le parcours, les rares gravures de Claude-François Fortier, Gaspar Schott et Matthäus Merian, issues de collections privées. Côté peinture, citons le tableau *Campus anthropomorphus* d'Anton Mozart (1573-1625), une "anatomisation" poétique du paysage, ou encore la série des quatre allégories des saisons de Joss de Momper (1564-1635). L'exposition, conçue comme un cabinet de curiosités, présente également quelques exemples de *naturalia* tels qu'une mandragore et une météorite, mais s'attache surtout à confronter systématiquement les œuvres anciennes à des créations contemporaines. Dessin de Zoran Music, aquarelle de Javier Pérez, sculpture de Tony Cragg, photo de John Copplans, ou encore maquette de Riccardo Porro... au total près d'une quarantaine de créations en tout genre témoignent de la pérennité de la problématique de l'homme-paysage aux XXᵉ et XXIᵉ siècles. **Marie-Jo Vidalinc**

"L'homme paysage" du 14 octobre au 14 janvier 2007, au palais des Beaux-Arts de Lille, tél. 03 20 06 78 00. Catalogue, éditions Somogy, 250 p. 29 €.

GALERIE HISTORISMUS

Arts décoratifs européens
19ᵉ et début 20ᵉ siècle
—
19th and early 20th century
European Decorative Arts

Sur rendez-vous
Catalogue sur demande

Beaubourg : les *Combines* de Rauschenberg à l'honneur

Après le Metropolitan Museum de New York et le MOCA de Los Angeles, le Centre Pompidou accueille cet automne l'exposition "Robert Rauschenberg : Combines", dont l'ultime étape sera le Moderna Museet de Stockholm.
Elle regroupe une cinquantaine de **Combine Paintings** *réalisées dans les années 1954 à 1961, époque où l'artiste assembla de façon abstraite objets et matériaux les plus divers, tels que corde, animaux empaillés, papier peint, photographies, pour aboutir à des œuvres supprimant les frontières existant entre peinture et sculpture. Certaines des pièces exposées n'ont jamais été montrées au public.*

Monogram, *1955-1959. Stockholm, Moderna Museet.*

© ADAGP 2006 / ROBERT RAUSCHENBERG.

Né en 1925 à Port Arthur au Texas, Robert Rauschenberg étudia au Kansas City Art Institute (Missouri) puis au Black Mountain College en Caroline du Nord, où il se lia avec le compositeur John Cage, le chorégraphe Merce Cunningham et le peintre Cy Twombly ; ces rencontres furent déterminantes pour la suite de sa carrière. En 1951, sa première exposition personnelle se tint à la Betty Parsons Gallery de New York (aucune œuvre ne fut vendue). Mais, au début de l'année suivante, Edward Steichen acheta pour le MoMA de New York deux photographies réalisées au Black Mountain College, premières œuvres de l'artiste acquises par un musée. Après deux années de voyage en Italie et en Afrique du Nord, en compagnie de Twombly, Rauschenberg s'installa à New York et se mit à travailler de plus en plus sur les collages, technique qui lui permettait des associations d'une richesse étonnante. Il entreprit alors sa série des

Red Paintings, considérées comme le point de départ des *Combines*. En 1964, l'obtention du grand prix international de peinture de la Biennale de Venise lui conféra une notoriété mondiale. Sa soif d'expérimentation poussa Rauschenberg à collaborer à des spectacles de danse et de théâtre avec John Cage et Merce Cunningham, et à coopérer avec des écrivains comme Alain Robbe-Grillet ou William Burroughs.
L'exposition, outre le fait qu'elle rassemble pour la première fois autant de *Combines*, analyse la démarche de l'artiste et la portée de ces œuvres sur le plan esthétique, politique et social. Parmi les pièces les plus connues, on peut voir *Monogram* (1955-1959), montrant une chèvre empaillée et un pneu de voiture, posés sur une toile couverte de débris. Par l'introduction délibérée d'éléments hétérogènes, mêlant gestuelle picturale, performances, impressions sérigraphiques, images empruntées aux médias et à la vie quotidienne, le style de Rauschenberg, bien qu'issu de l'expressionnisme abstrait américain, attaqua en profondeur le concept traditionnel de peinture abstraite. Considéré comme l'un des plus grands artistes de son temps, il vit et travaille aujourd'hui à Captiva Island, en Floride. **Nathalie d'Alincourt**

"Robert Rauschenberg : *Combines*" du 11 octobre 2006 au 15 janvier 2007, au Centre Pompidou à Paris, tél. 01 44 78 12 33. www.centrepompidou.fr
Catalogue (français ou anglais), coédition Steidl / MOCA / Centre Pompidou, 320 p. 44,90 €.
À voir également : "Rauschenberg, *Express*" du 7 novembre 2006 au 17 janvier 2007, au Museo Thyssen-Bornemisza, à Madrid, www.museothyssen.org

© ADAGP 2006 / ROBERT RAUSCHENBERG.

Charlene, *1954. Amsterdam, Stedelijk Museum.*

Vente à New York
Jeudi 19 octobre 2006

Exposition
14, 15, 16, 17 et 18 octobre

Renseignements
Paris
Adrien Meyer
+33 (0)1 40 76 83 99
New York
William Strafford
+1 212 636 2348

Catalogues
Paris
+33 (0)1 40 76 83 58
New York
+1 800 395 6300

New York
20 Rockefeller Plaza
New York, NY 10020

christies.com

SEGOURA

IMPORTANT MOBILIER FRANÇAIS
ET TABLEAUX ANCIENS

New York, 19 octobre 2006

Une partie des recettes de la vente sera reversée
au profit du Château de Versailles

CHRISTIE'S

DEPUIS 1766

Ouverture de la Jameel Gallery d'art islamique au V&A

Le Victoria & Albert Museum a inauguré en juillet, après trois ans de travaux, sa toute nouvelle galerie d'art islamique. 400 objets sont présentés autour d'une pièce maîtresse, le tapis d'Ardabil, dans une vaste salle qui constitue la vitrine de cette collection prestigieuse.

© RICHARD WAITE.

La galerie d'art islamique avec, au premier plan, le tapis d'Ardabil.

Du temps où le Louvre ouvrait sa première salle d'art islamique, en 1893, le Victoria & Albert Museum de Londres, qui s'appelait alors le South Kensington Museum, pouvait s'enorgueillir d'un intérêt plus précoce pour ce domaine. La création du musée avait fait suite à la fameuse grande exposition au Crystal Palace en 1851, destinée à promouvoir l'industrie britannique. Dès cette époque, le musée avait entrepris d'acquérir d'importants exemples d'art islamique pour enrichir un vaste fonds devant servir de répertoire matériel et ornemental. Et dans les années 1870 déjà, grâce aux efforts de Sir Robert Murdoch Smith, le musée était en mesure de montrer quelque 2 000 objets d'art iranien. Aujourd'hui, les riches collections du V&A comptent plus de 10 000 objets islamiques fabriqués au Moyen-Orient entre le VIIIe siècle et le début du XXe siècle. Elles offrent un vaste panorama des arts de l'Islam dans leur diversité : céramiques, textiles, tapis, ivoires, objets en métal, en verre ou en bois sculpté, et peintures. La nouvelle galerie, financée par une

Tapis d'Ardabil, vers 1539-1540. Élément d'une paire commandée par le Shah Tahmasp d'Iran. 1097 x 534 cm.

© V&A IMAGES.

donation généreuse de la famille Jameel d'Arabie Saoudite, permet dorénavant de découvrir une part plus importante de cette collection, soit 400 objets contre 300 auparavant. Le parcours s'organise autour de l'immense tapis d'Ardabil, l'un des joyaux du musée, témoignage rarissime de l'art iranien de la période safavide. Un dispositif de vitres parfaitement invisibles permet d'admirer dans des conditions idéales ce tapis aux dimensions exceptionnelles (50 m²) et au décor éblouissant. Parmi les pièces les plus monumentales figure aussi une magnifique chaire, le *minbar* du Sultan Qa'itbay. Cette superbe pièce d'ébénisterie datant du XVe siècle a été acquise par le musée à l'Exposition universelle de Paris en 1867. De nombreux trésors témoignent de la richesse de la collection : l'épée de Shah Tahmasp (XVIe siècle), une aiguière en cristal de roche égyptienne conçue aux alentours de l'an 1000 pour le trésor d'un calife fatimide, une lampe en céramique d'Iznik provenant de la mosquée Süleymanye (Istanbul), des ivoires d'Espagne, une poterie mordorée de Malaga du XVe siècle et un choix éloquent sur l'histoire de la céramique… Par-delà la qualité des objets, le mérite de cette galerie réside avant tout dans une présentation intelligente cherchant à mettre cet art assez complexe à la portée des visiteurs. Une sélection d'objets illustre par exemple les caractéristiques fondamentales de l'art islamique que sont la calligraphie, la géométrie, la nature et la poésie. Le parcours s'organise autour des principaux centres historiques : la Turquie ottomane, l'Égypte des Mamelouks, les dynasties safavide et Qajar de l'Iran. Certaines vitrines thématiques évoquent aussi la transition avec l'Antiquité et l'émergence de l'Islam, ou encore l'importance des échanges avec l'Europe et la Chine. **M.-J. V.**

Victoria & Albert Museum, South Kensington, à Londres, tél. 00 44 20 7942 2000. www.vam.ac.uk
À lire : cat. exp. *Palace and mosque: Islamic Treasures of the Middle East* par Tim Stanley, V&A Publications. £19,95.
À paraître le 16 octobre : *The Making of the Jameel Gallery of Islamic Art*, par Tim Stanley et Rosemary Crill. £35.

Ingres

Ingres et l'Antique

Musée de l'Arles et de la Provence antiques
2 octobre 2006 / 2 janvier 2007
Presqu'île du Cirque Romain 13200 Arles
Tél. : 04 90 18 88 88 - www.arles-antique.cg13.fr

Conception graphique ALYEN · Photo © Erich Lessing

Un nouveau musée pour les manuscrits du Mont-Saint-Michel

En août dernier, la ville d'Avranches a inauguré son nouveau musée : le Scriptorial. Dans un écrin de béton édifié sur les vestiges de ses remparts médiévaux sont exposés les manuscrits réalisés entre les IXe et XVe siècles par les moines bénédictins de l'abbaye du Mont-Saint-Michel. Dans les 1 600 m² nouvellement construits, le Trésor, une salle circulaire faiblement éclairée et à laquelle on accède par une passerelle, présente par roulement ces précieux témoignages de l'activité des moines copistes des communautés religieuses de la baie du Mont-Saint-Michel. On peut en ce moment y admirer, entre autres, le célèbre *Cartulaire* – copie sur registre des titres de propriété d'un établissement monastique – *du Mont-Saint-Michel*. Réalisé au XIIe siècle, cet ouvrage est le seul témoignage de l'activité de l'abbaye du Mont, les archives départementales de la Manche ayant été détruites lors des bombardements de 1944. Les quelque 200 manuscrits reçus en dépôt en 1791 furent longtemps présentés dans une salle de l'Hôtel de Ville d'Avranches. Conscient que le Mont-Saint-Michel, qui accueille chaque année plus de trois millions de visiteurs, pouvait être une "véritable locomotive", l'actuel maire a fait de ce projet de musée une priorité. En plus d'un lieu d'exposition pour ces grands textes de l'Antiquité et du Moyen Âge, ces traités de droit, de musique, d'astronomie ou de médecine, le musée se devait d'être un espace où est racontée à la fois l'histoire de l'écrit et celle du Mont. Au premier niveau, six salles retracent l'histoire de la région, de l'époque gallo-romaine au Moyen Âge. À l'étage, c'est le livre, sa fabrication, son contenu et sa fonction qui sont évoqués. Un parcours prolongé par une salle présentant ses évolutions, de l'imprimerie au livre électronique. Servant cette ambition pédagogique, des outils multimédia parfois très novateurs rendent ce lieu vivant et ludique. **Elsa Valtat**

Scriptorial d'Avranches : musée des Manuscrits du Mont-Saint-Michel, tél. 02 33 79 57 00. www.ville-avranches.fr

"La Vision d'Aubert", Cartulaire du Mont-Saint-Michel, vers 1150.

Le site Internet du musée du quai Branly www.quaibranly.fr

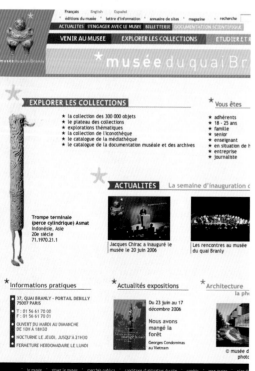

S'il est un site Internet de musée dont il faut louer l'intérêt, c'est bien celui du nouveau musée du quai Branly. La mise en page est aussi sobre que riche de possibilités. Classiquement, la page d'accueil comporte des menus permettant d'accéder à l'ensemble du contenu et des *frames* ouvrant l'accès direct aux rubriques principales. Seul manque un plan interactif des salles.

Parmi les chapitres du menu, *S'engager avec le musée* explique les caractéristiques de l'institution et sa vocation, évoque l'architecture, cite l'ensemble de l'équipe grâce à un organigramme complet – une exception pour un site français – et les rapports annuels d'activité. On y découvre aussi les informations sur les mécènes du musée, distinguant les opérations réalisées par les entreprises de la générosité des particuliers, avec les listes de chacun d'entre eux – ce que la plupart des sites Internet négligent –, les opérations dont ils sont à l'origine ou celles qui pourraient être menées à bien et, logiquement, un chapitre sur les amis du musée. Cette rubrique montre combien le musée est le fruit du dévouement et de la passion des hommes, du personnel et des amateurs ; elle est complétée par *Étudier et rechercher*, qui illustre l'intégration du musée dans un réseau d'institutions françaises et étrangères de spécialistes et d'étudiants, qui en fait un lieu de recherche désormais incontournable.

Explorer les collections fournit des informations exceptionnellement riches sur les œuvres. À côté de brefs chapitres sur les collections des diverses zones géographiques – Océanie, Amérique, Afrique, Asie –, le catalogue complet des objets est accessible, y compris ceux qui sont présentés au Louvre. Une fenêtre permettant d'affiner les critères de recherche facilite la consultation. Il en va de même du choix de présentation, par fiches illustrées ou par un diaporama qui permet, en dépit du nombre d'objets, de faire sa recherche aisément. Rarement un musée aura permis l'accès à ses collections en réserve aussi complètement ! **Thierry Bajou**

JOSEPH
RIVIÈRE

LE SCULPTEUR HUMAIN

1912   1961

EXPOSITION
3 OCTOBRE
21 OCTOBRE
2 0 0 6

GALERIE MARTEL-GREINER
71 BOULEVARD RASPAIL 75006 PARIS
Tél. 01 45 48 13 05 Mob. 06 22 80 73 27 galerie-martel-greiner@wanadoo.fr

"AGENOUILLÉE", 1950.
dim. 35 x 18 x 15 cm
Photo : F. Calmon©

Pour l'Intelligence de la Main, remise du prix Liliane Bettencourt

Pour sa 7ᵉ édition, le prix Liliane Bettencourt Pour l'Intelligence de la Main sera remis à la bijoutière française Catherine Chotard. Avec Roland Daraspe, qui reçoit lui aussi une distinction pour une pièce d'orfèvrerie, cette édition est placée sous le signe des métaux précieux.

Dès son enfance, Liliane Bettencourt, fille du fondateur de L'Oréal, Eugène Schueller, fut profondément marquée par la personnalité et la qualité du travail de Jacques-Émile Ruhlmann, ami de son père. Sa vie fut environnée d'objets raffinés aux détails minutieux, voire secrets. Trouvant que les métiers du patrimoine n'étaient pas assez honorés, elle créa, en 1999, un prix valorisant l'excellence de l'artisanat français. L'État ayant recensé 217 métiers d'art, ce prix ne manque pas de sujets ! Pour en rehausser le prestige, la fondation Bettencourt Schueller le dota d'une forte somme, une des plus importantes d'Europe pour un prix, 50 000 €.

Chaque année depuis sa création, le prix Liliane Bettencourt *Pour l'Intelligence de la Main* met en lumière un secteur d'activité différent : des métiers du bois en 2000 avec un superbe tableau d'une nature morte, *La Cafetière* de Geoffroy et Armande de Bazelaire, aux métiers du verre en 2001 en couronnant Bernard Dejonghe pour son cercle optique massif. Si les pièces sont tantôt classiques ou d'avant-garde, elles répondent toujours à un savoir-faire technique autant qu'à des qualités esthétiques. En 2002 et 2003, les métiers de la céramique et du cuir sont valorisés : un casque à l'aspect de bronze de Pierre Bayle et une reliure au graphisme répétitif, *Continuum*, d'Anne-Lise Bretagnolle. En 2004 et 2005, la tradition ancestrale prime : réalisation d'un gâlbe gothique aveugle pour les métiers de la pierre, et d'un crouet à deux dents (ustensile pour les vignes dans l'Orléanais) par Bernard Solon pour les métiers du métal. Parallèlement, le jury récompense parfois aussi des "distingués" (dotation de 5 000 €). Cette année, la 7ᵉ édition a pour thème l'artisanat des métaux précieux (or, argent, platine). Près de 3 500 bijoutiers-joailliers sont recensés en France, filière

attrayante et génératrice d'emploi mais fragile du fait de la concurrence asiatique. Le secteur de l'orfèvrerie, regroupant la fabrication d'objets destinés aux arts de la table, à la décoration intérieure ou au culte, ne compte quant à lui qu'une poignée de passionnés. Aussi, Roland Daraspe, seul "distingué" cette année, est un des rares orfèvres indépendants travaillant en France. Après un CAP de chaudronnier, un brevet de mécanicien aéronautique, une halte chez un maître verrier, cet autodidacte semble dompter une matière à laquelle il insuffle, par la marque sensible de ses outils, une nouvelle peau, comme le frémissement d'une brise irrégulière sur l'eau pour le *Navire à caviar*, son œuvre sélectionnée. L'orfèvre tient alors de l'alchimiste, la froideur de la surface se métamorphose, des courbes souples naissent en parfaite adéquation avec l'ingéniosité de cette transformation : un plat à caviar mué en navire. "Quand on aime, on met son âme", et cela se sent.

Le prix Liliane Bettencourt lui-même sera remis le 17 octobre à Catherine Chotard, bijoutière, pour son collier souple composé de milliers de pastilles d'or maintenues par un tissage arachnéen de fil syn-

Catherine Chotard, bijoutier créateur, à qui a été décerné le prix Liliane Bettencourt Pour l'Intelligence de la Main.

thétique japonais. À sa maîtrise du métal s'adjoignent l'emploi d'un matériau inhabituel et une approche sensible. Son travail est à l'image de son vécu : voué à construire, à se reconstruire. Dès son enfance, sa vocation semble établie ; adolescente, elle achète, avec son premier argent de poche, un livre d'art. Elle suit avec bonheur son grand-père dans les salles grecques du Louvre. Depuis toujours, elle sent ce besoin de s'exprimer avec ses mains, ramassant et fabriquant inlassablement, façonnant sans limite de matériaux.

Catherine Chotard, collier en or 18 carats, composé de 3 000 minuscules fragments, obtenus à partir de 16 g d'or 750.

Ses constructions traduisent son intérêt pour le volume. Dans son plaisir de la manipulation, le chiffon initialement, puis la tapisserie contemporaine, sont ses vecteurs privilégiés mais jamais exclusifs. L'emploi du nylon pour lier les pastilles d'or semble appartenir au même fil d'Ariane.

Sa création passe avant tout par ses mains ; de leur intelligence naît l'œuvre. Jamais ce prix n'aura été aussi bien nommé. Catherine Chotard est une rêveuse, une femme sensible, une artiste poète. Petite, d'instinct, elle goûte à la musicalité des sons d'un texte, comprend la couleur des voyelles, puis s'émeut devant un tableau de Paul Klee. "L'émotion me touche", confie-t-elle simplement. Comme le vide nourrit le plein, son monde intérieur se réveille dans le silence absolu. Comme une méditation, son écriture naît d'une concentration extrême. Son travail est brutalement interrompu par un grave accident et ses œuvres, après des années d'hospitalisation, deviennent autobiographiques. Elle reconstruit ce qui a été fragmenté et le ressenti de la fragilité devient inhérent à sa transmission. En 1992, l'école de bijouterie de Fontblanche à Nîmes lui fait connaître le métal précieux. Depuis, elle le fragmente en lamelles qu'elle assemble minutieusement en bagues et en colliers. Ses créations retranscrivent son goût de la structure, sa curiosité naturelle des constructions du monde végétal, comme l'attache d'une feuille. Elle explore les limites de l'or tant dans sa finesse que dans l'appréhension de l'espace. Le métal en suspension transformé en milliers de corpuscules traduit la relation entre le matériel et l'immatériel, tel l'amoncellement de poussières dans un rayon de lumière, telles des particules sur une toile d'araignée qu'inspirèrent ce collier.

Sa démarche réside dans une volonté de sobriété, d'économie de moyens, sans que rien ne soit gratuit et que rien ne soit immédiatement perceptible. Pour Catherine Chotard, une œuvre réussie est une œuvre où la distance persiste. **Michèle Heuzé**

Les trois modules du Navire à caviar *en argent massif, par Roland Daraspe.*

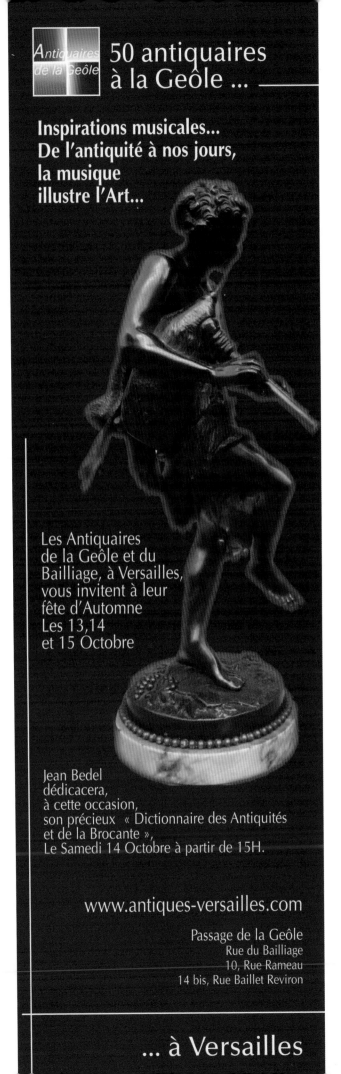

Fontaine-Daniel, un village ouvrier né il y a 200 ans

Depuis deux siècles, Fontaine-Daniel vit au rythme de l'usine textile fondée par une famille d'entrepreneurs parisiens venue s'installer en Mayenne. À quelques kilomètres de Laval, autour des locaux à vocation industrielle construits sur le site d'une ancienne abbaye cistercienne, le village entier porte la trace de l'entreprise Toiles de Mayenne, qui produit des tissus d'ameublement haut de gamme. Chapelle, école et logements ouvriers ont été construits à l'initiative de ses dirigeants, qui viennent de faire paraître un ouvrage retraçant l'histoire de l'entreprise.

L'ancien cellier des moines, dans l'aile ouest de l'abbaye, servait au XIXᵉ siècle d'entrepôt à l'usine.

Fontaine-Daniel est un village entouré de forêts : au centre, une place qu'anime un café et un restaurant ; autour, une chapelle au bord d'un lac, de petites maisons et des immeubles bas en granit extrait des carrières toutes proches. À première vue, il ressemble à ces villages de campagne calmes et harmonieux. Mais toute l'année, on y teint, on y file, on y tisse, on y gaufre, on y imprime, dans l'usine de confection textile implantée ici il y a maintenant deux siècles. Soucieux de transmettre la mémoire du lieu, les actuels dirigeants de l'entreprise ont pris l'initiative de publier un livre évoquant l'histoire de l'entreprise. Son titre en forme de jeu de mot résume à peu près la philosophie mise en œuvre par ses dirigeants successifs : *Tissu topique*, car l'histoire de cette entreprise est attachée à un lieu donné, le village de Fontaine-Daniel en Mayenne,

L'aile sud de l'ancienne abbaye.

une région où existe depuis longtemps un véritable savoir-faire textile. Aujourd'hui encore, environ la moitié des tissus d'ameublement vendus est tissée dans l'usine de Fontaine-Daniel et les rideaux, housses et garnitures de canapés réalisés en France – la mention "manufacturé en France" sur la quatrième de couverture le rappelle d'ailleurs. "U-topique" aussi parce que ses dirigeants ont toujours eu le souci des ouvriers qu'ils employaient. Une ancienne de l'usine, dont on peut entendre le témoignage sur l'un des deux CD qui accompagnent l'ouvrage, le confirme : "ce qui a fait venir nos parents ici, c'est que les logements étaient gratuits. Ils avaient le travail et il y avait l'école. Il y avait tout, c'était au niveau social mieux que n'importe où ailleurs".

Mais Fontaine-Daniel n'est pas un village dont la structure est sous-tendue par les théories utopistes mises en pratique par certains industriels à partir du troisième tiers du XIXᵉ siècle. Sa conception ne fut pas aussi drastiquement théorisée que celle du familistère de Guise (1877),

par exemple, que son dirigeant Jean-Baptiste André Godin qualifiait de "palais social". Elle est le fruit de l'engagement d'une lignée d'industriels éclairés. Ses contours se sont dessinés au fil du temps. L'histoire débute au lendemain de la Révolution. L'abbaye cistercienne de Fontaine-Daniel est vendue et rachetée par Thomas Armfield et Pierre Horem, qui y établissent la première filature du département. Comme les moines qui étaient venus s'y installer au début du XIIIᵉ siècle, ces industriels apprécient le site : une belle clairière au milieu d'un bois, que traverse l'Anvore, un ruisseau alimentant un étang. Autant de ressources naturelles qui furent mises à profit : le bois, pour la construction de mobilier de stockage, et l'eau, à la fois force motrice et élément indispensable pour la teinturerie. Comme cette abbaye cistercienne également, l'usine fonctionne en autarcie ; elle fut entièrement construite par les différents corps de métier qui formaient les services généraux de l'entreprise.

Par le biais d'un mariage, c'est la famille

La toiture en shed des bâtiments industriels.

Denis, actuelle propriétaire, qui reprend la main dans les années 1830 et donne à Fontaine-Daniel son visage actuel. Elle investit le cloître de l'abbaye, dans lequel sont installés les premiers métiers à tisser, puis agrandit les ateliers de confection. Malgré un travail souvent pénible, les ouvriers bénéficient de l'attention teintée de paternalisme des directeurs successifs. Dès 1832, on construit des bâtiments collectifs pour leur logement. À la fin des années 1890, ce sont des immeubles en pierre qui voient le jour, puis en 1920 des maisons individuelles mitoyennes. Socialement avant-gardiste, Gustave Denis transforme l'école de Fontaine-Daniel en 1862. Il la rend immédiatement obligatoire jusqu'à 14 ans pour les enfants des ouvriers, précédant sur ce point les lois de Jules Ferry, promulguées au début des années 1880. Avec sa boulangerie et son église édifiées en 1939, Fontaine-Daniel est désormais un véritable village qui s'articule autour de la vie ouvrière, comme il s'était articulé autour de la vie monastique au Moyen Âge. Si les maisons ont progressivement été vendues à ceux qui les habitaient, la famille Denis possède encore quelques bâtiments d'habitation. Leur gestion est assurée par une société dont les actionnaires sont majoritairement familiaux et qui s'est donné pour mission de lever des fonds pour rénover son patrimoine immobilier. Lancée en 1999, la campagne de réhabilitation est bien avancée, puisqu'il ne reste qu'un immeuble à restaurer. Aujourd'hui encore, on construit à Fontaine-Daniel : des maisons écologiques faites dans le même granit que le reste du village. **E. V.**

À lire : Sabine Jansen, Nicole Villeroux, Raphaël Denis, Nicola Denis et Gil Galbrun-Chouteau, *Tissu Topique*, préface de Régis Debray, éditions Gallimard, 292 p. 55 €.

Spectaculaires ventes de bijoux

Plusieurs ventes de bijoux recèleront, cet automne, de spectaculaires pièces. Des créations de JAR dispersées par Ellen Barkin aux volutes de l'Art nouveau et aux bijoux de la grande-duchesse de Luxembourg, en voici un aperçu.

JAR, pendant d'oreille (d'une paire) en topaze, rubis et diamants. Estimée : $60,000/80,000.

Rarement, un écrin révèle-t-il autant la féminité de son propriétaire, ses audaces. La centaine de bijoux de l'actrice américaine Ellen Barkin dispersés par Christie's New York le 10 octobre sont de ceux-là. Elle aime les longs pendants d'oreilles extrêmement fluides où ruissellent les diamants jusqu'aux épaules, le charme des bijoux indiens et la couleur enivrante de leurs perles d'émeraude (collier estimé $250,000/350,000). Ainsi l'imagine-t-on portant avec élégance son sautoir de diamants ou un collier orné d'une briolette (goutte facettée) de près de 17 carats (estimé $600,000/800,000), changeant selon son humeur de bagues, toutes aux diamants surdimensionnés, tel celui rectangle à degrés de 30,80 carats (estimé 1/1,5 M$). Suite à son récent divorce, elle tourne cette page fastueuse et nous livre un écrin dont l'intérêt ne réside pas dans une énième avalanche de grosses gemmes, aussi rares soient-elles, mais dans la présence exceptionnelle de dix-sept bijoux d'un maître joaillier, d'un artiste de la gemme, JAR, Joël Arthur Rosenthal

(cf. interview et portrait parus dans *L'EOA* n° 375, décembre 2002, p. 34-41).
JAR déchaîne toujours l'admiration et les superlatifs. D'ailleurs, François Curiel, président de Christie's Europe et directeur des départements bijoux, n'aime pas mais "adore", ce qui est un mot assez inhabituel dans sa bouche. Il est vrai qu'un bijou de JAR montre sa différence par une association stupéfiante de couleurs, un raffinement dans le sertissage alliant finesse et pierre surdimensionnée. Ainsi, des pendants d'oreilles proposent par deux fois l'ovale d'une extraordinaire topaze orange intense aux joues rouges, dont JAR vient magnifier le tempérament par quatre touches de rubis (estimés $60,000/80,000). D'autres, plus difficilement portables en raison de leur poids, reprennent cet entourage qui lui est cher : de petits diamants nichés dans de l'argent noirci. Les formes sont souples, les carrés sont coussins et les pierres se font écho, sur une paire de boucles d'oreilles, entre la

douceur rose d'une morganite et le bleu limpide d'une belle aigue-marine (estimée $60,000/80,000). Les bijoux sont beaux sur toutes leurs faces. En retournant une bague sertie d'une émeraude taille pain de sucre de près de 40 carats, François Curiel fait admirer l'arrière du coussin sur laquelle elle repose, serti d'émeraudes lovées vers l'intérieur, sa partie secrète. Ce perfectionnisme dans la réalisation, allié à une sensibilité particulière des formes et des couleurs, est la marque de fabrique de JAR. L'émeraude a été taillée "par Joël, plus ronde, plus pointue, plus subtile et l'association avec d'autres émeraudes est rare. Tout le monde aurait caché les griffes ; ici, elles participent aux motifs…" Et bien sûr, quand on aime, on ne compte pas… surtout avec JAR (estimée $80,000/120,000) !
Christie's propose le lendemain, toujours à New York, un autre bel ensemble de trente-huit bijoux Art nouveau, par Georges Fouquet, Paul Lienard et René Lalique. Nombre d'entre eux sont déjà apparus sur le marché mais leur réunion n'en est pas moins remarquable. L'artiste symboliste sait rendre plus qu'un sujet : sa nature même. Ainsi, Lalique sait à merveille, sur un ornement de corsage, rendre l'illusion de la matière, la translucidité des pétales de chardons, par une certaine épaisseur du verre (estimé $150,000/200,000). Sur une branche de saule à la facture réaliste, les chatons appellent à être touchés, l'ensemble dans une osmose de couleurs subtiles où rivalisent verre, émail translucide à jour et opales (estimée $80,000/100,000). Christie's célébrera

Henry Coosemans, diadème en diamants à décor ajouré de volutes, orné au centre d'un diamant de 8,10 carats. Estimé : 80 000/140 000 €.
À droite. René Lalique, ornement de corsage Chardons, vers 1903. Estimé : $150,000/200,000.

Les grands thèmes tirés de *La Jérusalem délivrée* du Tasse dans la peinture (XVIe-XIXe siècles)

Renaud et Armide (chant XX)

PHOTO BLUE SKIES STUDIO.

À la fin du chant XVIII, l'armée chrétienne conduite par Renaud, Tancrède et Raymond, comte de Toulouse, pénètre enfin dans Jérusalem. Le chant suivant met en scène, d'une part, Tancrède qui parvient à tuer en duel le redoutable guerrier circassien Argant, manque d'y laisser la vie et se voit sauvé *in extremis* par Herminie (voir fiche 411 B), et, d'autre part, le cours général de la bataille qui tourne à l'avantage des croisés, lesquels pillent et massacrent sans retenue dans la ville. Renaud, guerrier invincible, dédaigne cependant le pillage pour se ruer vers le Temple où se sont réfugiés une partie du peuple et les derniers défenseurs de Jérusalem. Le héros, doté par le Tasse de pouvoirs surhumains, saisit une énorme poutre et s'en sert comme d'un bélier pour enfoncer la porte du lieu saint qui est bientôt le théâtre d'une nouvelle tuerie. À la tombée du soir, Godefroy de Bouillon, commandant en chef des croisés, ordonne la retraite jusqu'au lendemain. Dans la puissante tour de David où le roi de Jérusalem, Aladin, a trouvé refuge avec Soliman, sultan de Nicée,

les Sarrasins reprennent espoir dans l'attente de l'arrivée imminente de l'armée égyptienne dont ils espèrent qu'elle anéantira les croisés. Averti de la proximité de cette immense armée par son espion, Vafrin, Godefroy décide de différer l'attaque finale de la ville sainte et d'attaquer, le premier, les troupes conduites par le Calife d'Égypte. Informé par Vafrin qu'Armide s'est offerte au guerrier mahométan qui parviendra à le tuer, Renaud brûle, quant à lui, d'en découdre. Le chant XX voit les deux armées s'affronter sans merci tandis qu'Aladin et Soliman tentent une sortie de Jérusalem pour briser leur encerclement. Renaud sème bientôt la désolation chez les Sarrasins. Au cœur du tumulte, il rencontre Armide sur son char de guerre qui balance toujours à son égard entre haine et amour, entre "ire et désir". Indécise et troublée, elle décoche finalement des flèches à celui qu'elle aime et qui la dédaigne, souhaitant et redoutant, tout à la fois, qu'elles atteignent leur but. Mais les traits d'Armide ne peuvent rien contre Renaud et la magicienne assiste,

Giovanni Andrea Ansaldo (jadis attribué à Gioacchino Assereto), *Renaud empêchant Armide de se suicider*, vers 1625. H/T, 105 × 156 cm. Turin, Galleria Sabauda.

consternée, à la déroute de ses champions que le héros défait les uns après les autres. La frêle magicienne sarrasine, "qui craint le servage et déteste la vie", et "n'a plus l'espoir de vaincre et se venger", prend alors la fuite sur un coursier, poursuivie par le héros. Inspiré par un sentiment ambigu où se mêlent l'amour et la pitié, guidé par sa loyauté, Renaud ne veut pas manquer à la promesse qu'il a faite à Armide de demeurer son chevalier. Il la rejoint dans une vallée ombreuse où la magicienne a résolu de se donner la mort avec l'une de ses flèches. Le héros arrivant derrière elle arrête son bras au moment fatal. Avec émotion, Renaud lui jure son amitié et sa foi, lui promet de lui rendre son royaume perdu et forme des vœux pour qu'elle renonce à l'aveuglement du paganisme. La fureur d'Armide, d'abord désespérée d'avoir été soustraite, malgré elle, à la mort par celui qui l'a abandonnée,

et révoltée par la perspective de servir de trophée à son vainqueur, s'apaise. Purifiée et comme sanctifiée par Renaud, baptisée par ses larmes, Armide prononce les mots adressés par la Vierge à l'Archange Gabriel : "Or, voici ta servante… tes ordres sont sa loi ; dispose d'elle". C'est donc sans le jeune héros qui a rendu la victoire possible que Godefroy de Bouillon achève d'écraser l'armée sarrasine (non sans avoir manifesté une mansuétude et un désintéressement chevaleresques) avant d'entrer, enfin, dans Jérusalem, délivrée. La dernière strophe du poème nous représente, vision saisissante, Godefroy, le manteau sanglant, adorant le grand Sépulcre après avoir suspendu ses armes victorieuses dans le Temple.

La représentation de Renaud et Armide

La rencontre du héros chrétien et de la magicienne sarrasine au cœur de la bataille finale a peu retenu l'attention des artistes qui, dans le même registre guerrier, ont préféré représenter les combats de Tancrède et de Clorinde (voir fiche 409 A). Retenons surtout le décor plafonnant exécuté à fresque (avant 1614) par Domenico Cresti, dit Il Passignano, pour un palais romain, alors propriété du cardinal Scipion Borghèse (Casino dell'Aurora, Palazzo Rospigliosi-Pallavicini, jadis Palazzo di Monte Cavallo), fresque qui représente Armide à bord de son char au moment où elle décoche une flèche à Renaud [1]. En revanche, la tentative de suicide d'Armide est un thème assez fréquemment traité dans la peinture du XVIIe siècle, surtout en Italie. Ce relatif succès s'explique par le fait que l'épisode constitue l'acmé dramatique de l'histoire de Renaud et d'Armide, immédiatement suivi par la réconciliation mystico-amoureuse des deux protagonistes, qui en constitue le dénouement. Il offrait, par conséquent, aux artistes

d'une époque qui considérait l'expression des mouvements de l'âme comme l'un des buts les plus élevés et les plus nobles assignés à la peinture d'histoire, un sujet particulièrement intéressant par la diversité des ressorts psychologiques qu'il mettait en jeu. Selon un processus que nous avons déjà rencontré à maintes reprises, les artistes qui représentèrent le suicide manqué d'Armide tendirent naturellement à prendre modèle sur des œuvres constituant des "précédents iconographiques", au premier rang desquelles figuraient les innombrables tableaux, dessins et gravures illustrant les suicides – réussis ceux-là – de deux héroïnes de l'Antiquité : Lucrèce et Cléopâtre. Les tableaux mettant en scène Armide réduite à cette dernière extrémité entretiennent donc souvent des rapports étroits avec les représentations des suicides de la reine d'Égypte et de la vertueuse Romaine, événements historiques (ou pseudo-historiques) qui connurent une immense fortune iconographique au cours des XVIe et XVIIe siècles. C'est ainsi que, vers 1625, la tentative de suicide d'Armide inspira au peintre génois Giovanni Andrea Ansaldo un tableau mouvementé, baigné d'un clair-obscur dramatique qui confère à la scène un caractère presque nocturne, tableau évidemment tributaire des représentations de Lucrèce violentée par Tarquin qui retourne son poignard contre elle. Différence fondamentale : ici, la figure masculine n'agresse pas l'héroïne, mais l'empêche, au contraire, de retourner sa violence contre elle-même aidé d'un petit amour qui retient le bras d'Armide.

Pour rester en Italie, on connaît au moins deux versions de la scène exécutées par le Bolonais Alessandro Tiarini (entre 1620 et 1625 ?), qui trouva à plusieurs reprises son inspiration dans la Jérusalem. Celle conservée à Modène (Banca Popolare) s'inscrit résolument dans une veine érotique avec une Armide aux seins nus qui fait songer aux représentations contemporaines de Cléopâtre mordue par l'aspic. Plus monumen-

tale, celle de Lille paraît, à nouveau, démarquer l'iconographie de Lucrèce aux prises avec Tarquin. Le thème fut sans doute moins traité hors d'Italie. Citons, en France, Simon Vouet qui, secondé par son atelier, ne manqua pas de représenter la scène (assez platement) dans son cycle relatif à l'histoire de Renaud et d'Armide peint pour Chessy au début des années 1630 (voir fiche 412 B). Les peintres nordiques contemporains semblent, quant à eux, s'être fort peu intéressés au thème de la tentative de suicide d'Armide, à l'exception notable de David Teniers le Jeune, auteur d'une série, assez décevante, de douze petits tableaux sur cuivre (avant 1668) inspirés de la Jérusalem. Conservée à Madrid (Prado), la série compte non seulement une représentation des *Prouesses de Renaud* et une *Armide sur son char exhortant les Maures à combattre*, mais aussi une fade *Réconciliation de Renaud et Armide* qui correspond à l'épisode du suicide manqué. ALEXIS MERLE DU BOURG

Dans le prochain numéro, nous conclurons notre cycle sur l'iconographie de *La Jérusalem délivrée*.

Note
1. Signalons que, près de deux siècles plus tard, entre 1818 et 1827, le peintre nazaréen J. F. Overbeck s'inspira de ce précédent pour peindre, également à fresque, le combat de Renaud et d'Armide dans la Stanza dell'Tasso, une salle de la Villa Massimo, à Rome, dont le décor était constitué de scènes inspirées de *La Jérusalem délivrée*.

Alessandro Tiarini,
Renaud empêchant Armide de se suicider. H/T,
186 x 143 cm.
Lille, palais des Beaux-Arts.

© RMN / DANIEL ARNAUDET.

Les Blanchisseuses, par Marie Petiet (1854-1893)

1882. H/T, 113 x 170 cm. Limoux, musée Petiet. © CDMA. Photo Patrice Cartier.

Le musée Petiet abrite *Les Blanchisseuses*, une peinture réalisée en 1882 par Marie Petiet. La confrontation de cette œuvre à la production artistique de son temps – lors de deux expositions itinérantes en France : "Portraits de femmes" en 2001 et "Des plaines à l'usine" en 2002 – a permis de révéler l'originalité avec laquelle l'artiste a traité le sujet des blanchisseuses. Tenter d'en connaître les raisons conduit aujourd'hui à une relecture de sa vie et du tableau.

La naissance d'une vocation

Orpheline de sa mère dès l'année de sa naissance, Marie Petiet fut élevée par son père Léopold et son oncle Auguste. Riches propriétaires terriens, vivant au domaine de La Bezole près de Limoux, dans l'Aude, les deux hommes pratiquaient la peinture et vouaient une admiration aux grands maîtres. Ils initièrent la jeune fille aux rudiments du bel art. L'intérêt et la passion que Marie, jeune châtelaine, porte dans ses peintures à la population limouxine, peuvent provenir de l'éducation progressiste qu'elle reçut d'eux. Sensibles aux idées nouvelles, ils voulaient transmettre le bon goût, à l'aide de l'art, et contribuer au développement social de la population. La création de leur école de des-

sin en 1879, puis du musée de Limoux, concrétisait leur engagement dans la vie communale.

Dans ce milieu également imprégné d'idéal classique, Marie se forgea un tempérament que l'on devine peu ordinaire. Pour développer son art, elle effectua à partir de 1877 des séjours à Paris afin d'y recevoir les conseils de Jean-Jacques Henner. Auprès de lui, elle parfit sa formation artistique en privilégiant l'étude d'après modèle et orienta définitivement son art vers la représentation de la figure humaine. Puis elle retourna vivre dans son Limouxin natal pour y peindre les êtres qui lui étaient familiers, en marge des courants artistiques modernes.

Une atmosphère sereine

Une forte lumière provenant de la gauche éclaire toute la pièce. L'artiste a représenté plusieurs jeunes filles le long d'une table recouverte d'un drap blanc, dans une vision frontale, avec une perspective réduite et un cadrage resserré. Seules quatre d'entre elles ont un fer à la main. Les trois autres, dont deux sont en tenues rayées de ville, semblent venues rendre visite à leurs amies. Celle qui est accoudée parle tout haut à l'assemblée ; de l'autre côté, la seconde visiteuse chuchote

à l'oreille de son amie distraite. Devant les linges suspendus est figuré le tuyau de poêle qui préserve l'atmosphère de l'atelier en évacuant les résidus de combustion. L'image est claire, sans vapeur ni impression de nuisance ou de chaleur. Marie Petiet situe ses personnages à hauteur de notre regard, à l'opposé du regard dominant que Degas posait sur les repasseuses dans les années 1870. Aucune des repasseuses de Limoux n'exprime le travail harassant, l'effort, au contraire de certaines figures de Degas. L'ambiance de la scène est calme ; de légers sourires se dessinent. La luminosité de la toile est d'autant plus grande que le sujet semble dénué des sombres considérations sociales du XIXᵉ siècle.

L'œuvre de Marie Petiet offre un contraste saisissant avec les personnages créés par les frères Goncourt dès les années 1860, puis surtout par Émile Zola. En 1877, dans *L'Assommoir*, son personnage de Gervaise incarnait la plus profonde misère et les maux de la "femme du peuple". Sa déchéance finale confortait dans l'opinion publique le caractère douteux des blanchisseuses. Cette vision trouve un écho dans l'étude publiée en 1986 par Françoise Wasserman sur ce sujet ; elle décrit des

conditions de travail difficiles et précaires, sans respect des règles élémentaires d'hygiène. Le rôle social pourtant indispensable des blanchisseuses était déconsidéré par la population. Ces femmes pouvaient en outre s'immiscer dans la vie privée de leurs clients et colporter les pires nouvelles. Elles fascinaient et inquiétaient l'imaginaire collectif.

Influences et composition

Sur les sept jeunes filles, cinq sont disposées à même hauteur. Cet agencement horizontal rappelle les frises des bas-reliefs antiques. Le choix de figurer un groupe uniquement composé de jeunes femmes est rare. On peut citer comme précédents les scènes de la vie de la Vierge de Domenico Ghirlandaio en l'église Santa Maria Novella à Florence, une estampe de Primatice représentant Pénélope entourée de femmes dans un atelier à tisser, et surtout le célèbre tableau peint par Nicolas Poussin en 1648 : *Eliézer et Rébecca* (Louvre). Un homme, Eliézer, en est le personnage central, mais on se souvient de la façon qu'a Poussin de figurer maintes jeunes femmes dans des attitudes différentes, au sein d'une composition parfaitement ordonnée, et de sa capacité à individualiser les visages. Il y a chez *Les Blanchisseuses* la même familiarité, la même diversité que dans la toile du maître. Certaines miment la parole ou la concentration, d'autres l'atten-

tion ou l'inattention. L'on est frappé par les similitudes entre les deux œuvres. Marie Petiet reprend des postures identiques. Ainsi, les trois personnages sur la gauche, debout ou accoudés, peuvent être inspirés d'un trio du maître des Andelys. De l'autre côté de la toile, les deux jeunes femmes se donnent l'accolade tel le duo du Louvre. Celle qui tient un fer près de son visage est comparable au personnage féminin nonchalamment accoudé. Même le tuyau du poêle est situé à l'emplacement du pilier soutenant la sphère. Autre détail similaire : le personnage central des blanchisseuses, la jeune femme de dos, peut être assimilée à Rébecca, vêtue de bleu elle aussi. Ces coïncidences laissent penser que Marie Petiet s'est délibérément ou inconsciemment inspirée du tableau du Louvre. Si on l'imagine facilement parcourant les allées du musée, on ne possède aucun document écrit révélant ses pensées ni aucun dessin préparatoire. Seule une radiographie de la toile pourrait donner quelques indications sur la façon dont l'artiste a travaillé.

Une enquête récente a démontré que l'artiste avait eu recours à des modèles limouxins. Elle a permis de déterminer l'identité des jeunes filles, leurs âges, ainsi que leur parcours social. Il semble qu'aucune n'ait exercé le métier de repasseuse ; ces informations renforcent l'idée d'une scène organisée et non improvisée. De même, la mise à distance des modèles représentés à mi-corps, les visages enfantins aux traits vagues et assombris dans le style caractéristique de l'artiste, révèlent le caractère secondaire de leur état civil. Marie Petiet a davantage cherché à représenter une ambiance, des attitudes, qu'à réaliser des portraits. Dans cette mise en scène, l'artiste a même peint un verre rempli d'eau et de fleurs

rouges (des géraniums ?), coquetterie esthétique qui répond chromatiquement aux quelques traces rouges disséminées dans l'œuvre et offrant un contraste avec la blancheur des linges. Le soin qu'elle a apporté à certains détails comme la dentelle des mouchoirs, les motifs sur les chemisiers, les différents types de tissus, ne diminue en rien l'invraisemblance de la scène qui se formule dans son exiguïté, dans la promiscuité entre les corps, peu propice à la pratique du repassage. Marie Petiet n'illustre pas une tradition – elle est trop infidèle à la réalité sociale – et ne réalise pas non plus une image populaire visant à promouvoir ce métier. Ce que l'artiste a perçu chez ces demoiselles, c'est une insouciance, une décontraction, qui existaient déjà chez les femmes antiques d'esprit romain que Poussin aimait à peindre. Bien plus que des similitudes formelles, c'est une permanence des sujets et des êtres à travers les époques que l'artiste a mise en évidence. À l'aide d'une composition traditionnelle et dans cet hommage indirect aux grands maîtres, Marie Petiet a créé en 1882 une image des blanchisseuses qui va à contre-courant de toutes les idées transmises jusque-là : celles d'une dure réalité qui, dans le jeu et l'invention d'une femme peintre, disparaît. L'artiste témoigne de l'état d'esprit et des bons moments qui pouvaient exister dans des lieux où l'absence de regard et de jugement masculins représentait les prémices d'une liberté nouvelle pour la femme. Marie Petiet revivifie simplement le sujet en donnant un air plaisant aux jeunes filles. Elle concilie ce que certains cherchaient à opposer : une recherche du beau propre à l'art (et à la vie ?) et une modernité liée à la représentation d'une pratique féminine.

FRÉDÉRIC ARNOULD

Nicolas Poussin,
Eliézer et Rébecca, 1648.
H/T, 118 x 199 cm.
Paris, musée du Louvre.

*Trois pièces Van Cleef & Arpels,
dispersées par Christie's.*

par ailleurs le centenaire de Van Cleef & Arpels avec la mise à l'encan le 11 octobre à New York et le 16 novembre à Genève de 100 bijoux, où serti mystérieux, travail de l'or en délicates torsades et autres motifs ludo, réveillent son glorieux passé. À signaler aussi, le 14 novembre à Genève, une parure de perles et diamants estimée 4 M$ et signée Harry Winston. Si les diamants sont certes de qualité, les perles – notamment les cinq appairages et la perle centrale du collier, toutes en forme de goutte – sont de ces raretés introuvables. D'autres superbes colliers de perles attendent, dans cette vente d'origine royale, les amateurs.

Enfin, à Paris, chez Sotheby's, la succession de la grande-duchesse Joséphine-Charlotte de Luxembourg (1927-2005), fille aînée de Léopold III, roi des Belges, offrira le 19 décembre quelques beaux symboles de son statut, comme un diadème aux volutes d'Henry Coosemans (estimé 80 000/ 140 000 €) et un bandeau-bracelet Art déco de Van Cleef & Arpels richement serti de diamants (estimé 180 000/240 000 €). Certains lots aux estimations plus raisonnables rappellent des souvenirs intimes ou des rencontres officielles, telle cette boîte en vermeil gravée de la lettre "J", et de "JFK-JBK", offerte par John Fitzgerald Kennedy lors du voyage de la grande-duchesse aux États-Unis (estimée 1 000/ 1 500 €). **Michèle Heuzé**

Le mobilier XIXᵉ à l'honneur chez Sotheby's
Sotheby's New York proposera aux enchères en deux vacations – le 26 octobre 2006, puis en avril 2007 – une importante collection de mobilier français du XIXᵉ siècle. 450 lots composent cette vacation dont l'intérêt réside notamment dans un ensemble de 100 pièces provenant directement de la famille de François Linke. On y verra entre autres une paire de cabinets en marqueterie Boulle, exécutés par Linke vers 1900 d'après un modèle d'André-Charles Boulle, ou une vitrine à quatre faces ornée de bronzes dorés (photo ci-contre). D'autres ébénistes français de l'époque seront présents, tels Henry Dasson et Alfred Beurdeley. L'ensemble de cette collection, rassemblée durant les vingt dernières années, est estimé 8 à 12 M$.

La collection Jean Fournier et Jean-Marie Bonnet chez Artcurial
Disparu cette année, le galeriste Jean Fournier a passé près d'un demi-siècle à défendre l'art contemporain, en particulier quelques artistes auxquels il fut toujours fidèle. Les premiers furent Sima, Hantaï, Degottex et Mathieu. À ces noms vinrent rapidement s'ajouter, lorsque la galerie ouverte en 1952 avenue Kléber déménagea rue du Bac, ceux de Sam Francis, Daniel Buren, Pierre Buraglio, Claude Viallat ou Joan Mitchell. Au cours de la vente d'art contemporain d'Artcurial, le 29 octobre prochain, seront dispersées neuf œuvres de la collection constituée par Jean Fournier et Jean-Marie Bonnet, dont trois toiles de Joan Mitchell, dominées par *Salut Sally* de 1970 (estimée 1/1,5 M€, photo ci-contre). On pourra également acquérir *Après la nuit* de Riopelle (estimée 250 000/ 300 000 €), deux tableaux de Simon Hantaï ou une œuvre de Sam Francis datée 1967.

© ADAGP 2006.

Une exceptionnelle paire de vases *cornet* chez Sotheby's

Sotheby's dispersera le 18 octobre prochain un ensemble de porcelaines à monture de bronze doré provenant de divers amateurs. Outre les pièces en porcelaine de Chine ornées de bronzes de style Louis XV, une rare paire de vases **cornet** *en porcelaine dure de la manufacture de Sèvres, à décor d'arabesques et monture de bronze doré Louis XVI attribuée à Thomire, mérite de revenir sur une destinée particulière et énigmatique.*

Chaque vase est constitué de deux éléments, une partie haute formée d'un long col évasé d'une panse ovoïde dans le bas ; le fond blanc est à décor polychrome d'arabesques, masques antiques et feuillages néoclassiques, bouquets de roses, guirlandes et palmettes ; la monture en bronze doré est constituée d'anses en forme de dauphin à double queue entrelacée et rang de perles. Les vases reposent sur un socle en bronze doré à section carrée orné de feuilles d'eau ; ils ont conservé leur coupelle d'encolure en cuivre doré.

Quatre vases *cornet* de Sèvres exposés à Versailles

Les registres de la manufacture de Sèvres pour 1786 nous permettent d'isoler quatre vases *cornet* à décor *arabesque* grâce à leur mention dans les registres de paiement des peintres et d'enfournement. Ces vases sont ensuite envoyés à Versailles pour la traditionnelle exposition-vente de la fin de l'année.

La réalisation de certains décors à Sèvres nécessitait parfois l'intervention de plusieurs peintres collaborant sur une même pièce en fonction du sujet, de leur talent et de leurs spécialités. Le décor de ces vases a été exécuté successivement par Pfeiffer pour les arabesques et Asselin pour les têtes, comme l'attestent les registres de paiement des peintres. Le peintre Pfeiffer reçoit paiement le 29 juin 1786 pour "2 vases cornets" à décor "arabesques" puis encore le 5 septembre pour deux autres vases *cornets* à décor "arabesque" tandis que le peintre Asselin se voit verser le paiement le 4 juillet pour "deux têtes" exécutées sur "4 vases cornet" préalablement "peints par m. Pfeiffer" [1].

Thomire, depuis qu'il a succédé à Duplessis en 1783 comme collaborateur de la manufacture, exécute désormais les bronzes destinés à orner les pièces de porcelaine. Il a su gagner rapidement la confiance du comte d'Angiviller, directeur général des Bâtiments du Roi et des Manufactures, fervent défenseur du goût *arabesque*. Pour ces vases, Thomire ne dispose que de quelques semai-

nes pour exécuter la monture en bronze doré destinée à décorer ces vases d'un goût nouveau (la dernière date d'enfournement mentionnée est le 5 novembre).

Les vases sont ensuite expédiés à Versailles pour la traditionnelle exposition-vente des dernières productions de la manufacture de Sèvres qui se déroulait cette année-là du 21 décembre au 4 janvier. Instaurée par Louis XV puis poursuivie pour son successeur, cette manifestation permettait à une clientèle exigeante et raffinée, toujours avide de nouveautés, de trouver les dernières tendances en matière de décor et de formes et de pouvoir ainsi les acquérir.

Deux acheteurs pour un choix royal

Le 3 janvier 1787, le roi acheta "2 vases garnis de bronze, avec arabesques" à 1 500 livres chacun [2]. Louis XVI acheta aussi une autre paire de vases qui nous intéresse tout particulièrement : "2 vases cornets idem [c'est-à-dire garnis en bronze], idem [c'est-à-dire avec arabesques] à 480 livres chacun" [3]. Le prix d'acquisition de ces vases, entre autres, permet de les retrouver dans l'inventaire de 1791 dans le cabinet de la Pendule : "2 vases de porcelaine de Sèvres fond blanc à fleurs, les anses formées par deux dauphins en bronze doré, le milieu du vase garni d'un rang de perles en bronze idem, monté sur son pied idem avec garniture en dedans de cuivre doré, de 13 pouces de haut [35 cm] sur 5 pouces de diamètre [13,5 cm]", prisés 960 livres.

La certitude d'un achat royal est admise [4], tout comme l'est, bien que moins prestigieux, l'achat au comptant et au même prix de 960 livres d'une paire de vases vraisemblablement identiques, dans les premiers jours de l'exposition, le 23 décembre 1786 [5]. Si l'identité de cet acheteur reste inconnue, son choix s'est révélé royal puisqu'il devance de dix jours l'acquisition de Louis XVI.

Le cabinet de la Pendule, à Versailles.

Paire de vases cornet, Sèvres, 1786. Porcelaine dure et monture en bronze doré attribuée à Thomire. Peut-être acquise par Louis XVI en 1786 et placée dans son cabinet de la Pendule à Versailles. Estimée : 250 000/400 000 €.

On perd la trace des deux paires : l'une dès son acquisition, l'autre, placée par Louis XVI dans le cabinet de la Pendule, disparaît dans la tourmente des ventes révolutionnaires. Elle est adjugée pour 286 livres au citoyen Mongis le 9 messidor An II (27 juin 1794) [6]. Une paire est connue à la fin du XIXe siècle chez le collectionneur Edmond Taigny qui joua entre 1882 et 1896 un rôle important en tant que président de la commission du musée des Arts décoratifs. Il s'agit des vases présentés dans la vente de Sotheby's. Enfin, une paire réapparaît sur le marché de l'art parisien à la fin des années 1980 [7], puis dans le commerce à Londres. Reconnus par Christian Baulez, les vases sont achetés par Versailles et sont exposés depuis 1990 dans le cabinet de la Pendule [8] grâce à la générosité de Monsieur Pierre Fabre.

Quatre vases aux infimes différences

Sur notre paire de vases, les parties basses sont scrupuleusement identiques ; elles présentent le même décor, traité de la même manière. En revanche, les parties hautes possèdent d'infimes différences deux à deux : la frise de feuilles sur le col, la composition centrale ne sont pas tout à fait les mêmes, les couleurs et les motifs feuillagés, la bordure au dessus du rang de perles en bronze doré présentent de mineures variations. Or, un examen attentif de la paire de vases conservée aujourd'hui à Versailles permet de constater que cette paire de vases possède elle aussi de toutes petites différences deux à deux : les parties basses sont identiques entre elles mais très légèrement différentes des nôtres ; les parties hautes possèdent quant à elles les mêmes petites variantes observées sur le haut de nos vases. Une autre différence entre ces deux paires concerne la garniture intérieure en cuivre doré que seuls nos vases ont conservée.

Les décors quasiment identiques tendent logiquement à les confondre tandis que leurs petites différences, au-delà de la possibilité initialement improbable de les différencier, finalement l'ironie de les rendre indissociables malgré eux.

Mélangées, les parties supérieures des quatre vases forment deux "fausses" paires ; elles ont connu des destins différents ; chaque paire est vendue distinctement, l'une au roi Louis XVI, l'autre anonymement. Elles ont été séparées à partir de ce moment-là (une seule paire est effectivement répertoriée à Versailles quatre ans plus tard lors de l'inventaire de 1791) et n'ont semble-t-il jamais été réunies par la suite, ce qui exclut une inversion postérieure à 1787.

Où se trouve l'origine de cette méprise involontaire ? Peut-être à Sèvres, à moins qu'il ne s'agisse d'une étourderie commise par le bronzier qui, rappelons-le, ne dispose que de quelques semaines pour leur confectionner une monture. Le mystère reste entier, tout comme la certitude de reconnaître la paire royale. S'agit-il de celle revenue à

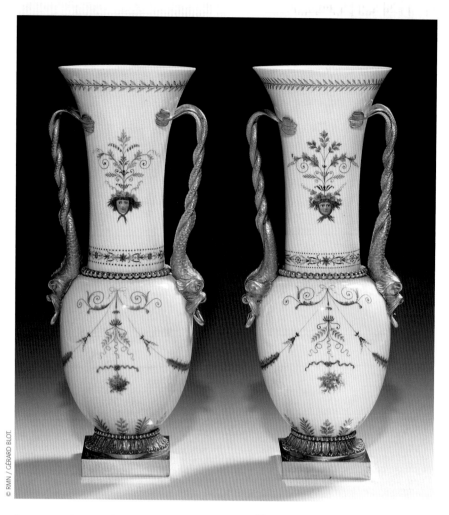

© RMN / GÉRARD BLOT.

Deux vases peints en arabesques sur fond blanc, avec monture en bronze doré à figures de dauphins, conservés au château de Versailles, dans le cabinet de la Pendule, depuis 1990.

Versailles en 1990 et placée comme à l'origine dans le cabinet de la Pendule, ou de la paire de vases qui sera offerte aux enchères le 18 octobre prochain ?

Une illustration du goût *arabesque* à Sèvres

La tendance nouvelle marquée par le retour des arabesques inspirées tant par la Renaissance que par les découvertes archéologiques de Pompéi et Herculaneum caractérisèrent l'évolution du style Louis XVI avec de nombreuses références antiques et exotiques. Partisan du goût arabesque qu'il défendait farouchement, d'Angiviller avait acheté au printemps 1786 la collection de vases étrusques de Vivant Denon qu'il destinait au Louvre mais dont il avait pris le soin d'expédier à Sèvres les modèles qui pourraient "être utiles pour donner de charman-

tes idées de décoration" [9]. Depuis 1783, il avait tenté d'imposer ce goût arabesque en demandant la réalisation d'un service *arabesque* dessiné par l'architecte Le Masson [10]. Le décor du service *arabesque* et par la suite les ornements *arabesques* peints à Sèvres trouvent leur inspiration directe dans les gravures des Loges du Vatican par Raphaël [11]. Le terme "étrusque" désigne quant à lui à la manufacture de Sèvres un décor de figures en bas relief dans le goût antique.

Persévérant, d'Angiviller nomme en 1785 le peintre Lagrenée pour dynamiser la création de nouveaux décors antiquisants et moderniser la production. Citons comme exemple la grande garniture de Pavlovsk [12], la paire de vases achetées par Louis XVI à l'exposition de 1787 [13], un vase également acheté par George IV [14], ou encore plus modestement une pendule ornée d'une plaque en porcelaine vendue chez Christie's [15], présentant toujours les mêmes masques typiques entourés de feuillages et guirlandes. À cela, il convient d'ajouter la

paire de vases balustres réalisés en 1786 [16]. Cette forme particulière de vases en deux parties réalisés à Sèvres a été déclinée avec des décors et des montures différents : une paire à décor d'inspiration étrusque et anses en bronze à têtes de griffons ailés dans l'ancienne collection Joseph Bardac [17], et deux paires de vases en porcelaine à fond bleu, avec une monture aux dauphins, vendues chez Christie's [18]. Comme pour nos vases, les paires précitées possèdent une coupelle d'encolure en cuivre doré, détail inhabituel mais finalement fort pratique. La fabrication en deux parties non jointes des vases devait rendre délicate leur utilisation, l'eau pouvant s'écouler ; pour y remédier, une garniture intérieure en cuivre doré rendait parfaitement étanche la partie supérieure. Les vases pouvaient ensuite recevoir des fleurs, comme on peut l'observer sur une gravure de l'époque, *La Petite Toilette*, d'après un dessin de Moreau le Jeune, où l'on voit sur un secrétaire à l'arrière-plan une paire de vases similaires contenant des fleurs.
Brice Foisil, *directeur du département de mobilier et objets d'art du XVIIIᵉ siècle, Sotheby's France*

Remerciements

L'auteur tient à exprimer ses vifs remerciements à Cyrille Froissart, expert en céramiques, pour les informations qu'il lui a aimablement communiquées.

1. Arch. MNS. reg.Vj'4, folio 202, et Arch. MNS. reg.Vj'4, folio 6.
2. Identifiés par Christian Baulez comme la paire de vases décrite dans l'inventaire de 1791 dans l'ancienne pièce du café, puis achetée par George IV en 1812, et aujourd'hui conservée au château de Windsor. Reproduite dans cat. exp. *Sèvres, Porcelain from the Royal Collection, The Queen's Gallery Buckingham Palace*, 1979-1980, n° 28, p. 41.
3. A.N., O¹ 2061, K506, pièce 21.
4. Arch. MNS. reg.Vy 10, folio 113.
5. Il n'y a pas de description de décor dans le registre des ventes, seul le prix d'acquisition permet d'en faire le rapprochement ; Arch. MNS. reg.Vy 10, folio 103.
6. Christian Baulez, "Versailles, vers un retour des Sèvres", *Revue du Louvre* 5/6, 1991.
7. Porcelaine décrite comme fabrique de Clignancourt, illustrée dans P. Kjellberg, *Objets montés*, Paris, 2000, p. 137.
8. Inv. V5368.1 et V5368.2.
9. Voir C. Baulez, *op cit*.
10. Voir une assiette octogone conservée au Victoria & Albert Museum, à Londres.
11. Voir à ce sujet le prochain article de J. Withehead : "The Sèvres Arabesques Service and the Vatican Loggia Engravings", *The Journal of the French Porcelain Society*, vol III, 2006.
12. Inv. 5230 / 5231 / 5232-I.
13. Aujourd'hui à Windsor Castle, voir note 2.
14. Illustré dans *Royal Treasures, A Golden Jubelee Celebration*, 2002, p. 215, n° 135.
15. Vente Christie's, Londres, 1ᵉʳ décembre 2005, lot 133.
16. Vente Paris, Tajan, 15 décembre 1998, lot 28.
17. Vente Paris, galerie Georges Petit, 9 décembre 1927, lot 66.
18. L'une à Londres, le 1ᵉʳ décembre 2005 (lot 221), l'autre à Paris, le 21 juin 2006 (lot 328).

MOBILIER ET OBJETS D'ART PROVENANT DE LA COLLECTION INGRAO

EXPOSITION à partir du 13 Octobre
VENTE 20 Octobre

New York 72 & York
RENSEIGNEMENTS: Alistair Clarke +1 212 606.7213
CATALOGUES & ABONNEMENTS: +44 (02) 20 7293.6444
+1 541 322.4151   www.sothebys.com

Sotheby's

par François Duret-Robert

Histoires de bronzes

Le bronze du fondeur

Le domaine des sculptures en bronze est un terrain particulièrement propice à l'éclosion des litiges, des contestations, des procès. La dernière affaire en date a ceci d'intéressant qu'elle porte sur une notion inédite, celle d'exemplaire de fondeur. On connaissait les œuvres originales, les épreuves d'artiste, les reproductions… Et voici qu'apparaissent les exemplaires de fondeur !

Empressons-nous d'ajouter, pour que tout soit clair, que le tribunal de Paris [1] a déclaré que cette mention d'exemplaire de fondeur "ne correspondait à aucune disposition légale" ; et que l'œuvre en question n'était autre qu'une contrefaçon…

C'est à l'occasion d'une action engagée par la fondation allemande Stiftung Hans Arp - Sophie Taeuber Arp, que les juges ont été amenés à prononcer un tel jugement. Les dirigeants de cette fondation, qui est titulaire des droits d'auteur de Jean Arp, eurent en effet la surprise d'apprendre que, dans une vente qui devait avoir lieu à l'hôtel Drouot, le 27 novembre 2002, figurait une sculpture en bronze de l'artiste qui était ainsi présentée au catalogue : "*Château des Oiseaux* (1963), exemplaire unique de fondeur numéroté 0/5". Ils étaient d'autant plus stupéfaits que la fondation possédait elle-même une autre épreuve de cette pièce, portant le même numéro, épreuve qui lui avait été livrée par la fonderie Georges Rudier, le 15 mai 1981. Autant dire qu'il y avait un exemplaire 0/5 de trop.

On apprit alors que cet exemplaire surnuméraire avait été vendu par la même fonderie à un amateur, le 20 décembre 1985, pour 100 000 francs, comme "une épreuve unique de fondeur". Quelque dix-sept ans plus tard, l'acheteur l'avait confié à Mᵉ Kohn pour qu'il soit vendu publiquement. Mais le *Château des Oiseaux* n'eut pas l'heur d'affronter le feu des enchères. La fondation Arp le fit en effet saisir et elle engagea une action en justice pour contrefaçon puisqu'elle n'avait jamais autorisé cette fonte. Le tribunal de Paris lui a donné gain de cause, et il a ordonné qu'on lui remette la sculpture "aux fins de destruction". Au passage, les juges n'ont pas manqué de rappeler que "le fondeur n'a ni le droit de conserver une œuvre, ni davantage celui de conserver les moules ayant servi à réaliser les tirages".

Vous vous étonnerez sans doute que de telles questions soient encore susceptibles de se poser, que de tels problèmes puissent encore donner lieu à des actions en justice. C'est oublier que le statut des bronzes originaux, si tant est que l'on puisse employer un tel terme, apparaît encore mal assuré.

Les bronzes originaux

Ce statut repose sur certains principes, sur certaines règles qui ont été élaborés dans des domaines particuliers ; or, théoriquement, ces principes, ces règles ne valent que dans les domaines en question. C'est en effet dans le cadre de la législation concernant la TVA que le gouvernement a décidé que seules seraient considérées comme des œuvres originales les "fontes de sculpture", dont le tirage serait limité à huit exemplaires [2]. Et c'est lorsqu'il s'est agi d'appliquer la législation concernant le droit de suite que, d'une part, les juges ont considéré que, pour mériter le qualificatif de "bronzes originaux", les exemplaires devaient être coulés à partir d'un modèle (en terre ou en plâtre) réalisé par le sculpteur, et que, d'autre part, ils ont refusé cette qualité aux agrandissements et aux réductions exécutés à la demande des héritiers.

Si ces principes ont été adoptés d'emblée par nombre d'acteurs du marché de l'art, désireux de séparer le bon grain de l'ivraie, puis avalisés par le juge pénal [3], soucieux de punir les contrefacteurs, il n'en reste pas moins qu'ils sont parfois contestés et que les entorses aux règles précédentes sont encore très fréquentes. Force est cependant de reconnaître que leur application, même si elle est imparfaite, a contribué à moraliser le marché des sculptures en bronze.

Si l'on veut savoir ce qui se passait dans les années qui ont suivi la Seconde Guerre mondiale, il suffit de lire l'excellent livre qu'une spécialiste de l'histoire de la sculpture, Anne Pingeot, vient de consacrer à Bonnard sculpteur [4].

Les bronzes de Bonnard

Il va sans dire que Bonnard fut essentiellement un peintre et que son œuvre sculpté est très limité. Mais ce qu'il importe de souligner, dans l'optique qui est la nôtre, c'est que, mis à part deux exemplaires [5] d'un *Surtout* et une épreuve d'un groupe intitulé

Printemps, tous les bronzes de Bonnard ont été coulés après sa mort survenue en 1947. Or, nombre de ces fontes posthumes ont été exécutées sans l'accord de ses héritiers qui furent longtemps empêtrés dans un interminable procès. Il est vrai que les temps se prêtaient à ces pratiques fâcheuses. Comme le souligne Anne Pingeot, "aucun des principes qui nous semblent les fondements naturels de la déontologie en matière d'édition n'était observé". Et l'auteur de donner cet exemple (parmi d'autres) : dès 1948, "Léopold Rey, ayant acquis huit modèles, a l'idée de les faire éditer sans s'adresser aux ayants droit…" [6].

Vingt ans plus tard, on se montre plus respectueux des droits d'auteur, mais pas de la "règle du jeu". Jugez-en plutôt : en 1969 est entreprise, sous l'égide d'un commissaire-priseur, l'édition de quinze exemplaires plus cinq hors commerce du *Printemps* ; cette édition est réalisée à partir d'un bronze – on est donc en présence de surmoulages – et le nombre d'exemplaires tirés est très supérieur à celui fixé par le décret de 1967.

Cet exemple n'est, hélas, pas isolé, d'où cette remarque, quelque peu désabusée, d'Antoine Terrasse, le petit-neveu de Bonnard, en 1993 : "Il existe malheureusement quelques surmoulages de presque toutes les sculptures de l'artiste".

1. TGI Paris, 1ʳᵉ ch., 1ʳᵉ sect., 21 juin 2006, RG n° 03/01384.
2. Décret du 10 juin 1967. Aux huit exemplaires prévus par ce décret, l'administration a admis que pouvaient s'ajouter quatre épreuves d'artiste.
3. CA Besançon, ch. app. Corr., 28 juin 2001.
4. Anne Pingeot, *Bonnard sculpteur, catalogue raisonné,* coédition musée d'Orsay / Nicolas Chaudun, 2006.
5. Selon Anne Pingeot, il y eut au moins deux exemplaires de ce *Surtout* exécutés du vivant de Bonnard, à l'instigation du célèbre marchand Ambroise Vollard.
6. Anne Pingeot, *op. cit.*

MOBILIER ET OBJETS D'ART
PROVENANT DE LA COLLECTION DU
DR. ALEXANDRE BENCHOUFI

EXPOSITION à partir du 4 Novembre
VENTE 9 Novembre

New York 72 & York
RENSEIGNEMENTS: Alistair Clarke +1 212 606.7285
CATALOGUES & ABONNEMENTS: +44 (02) 20 7293.6444
+1 541 322 4151 www.sothebys.com

Sotheby's

ST.1744

Vincent Van Gogh, *Les Montagnes à Saint-Rémy*, 1889. H/T, 71,8 x 90,8 cm. New York, Solomon R. Guggenheim Museum, Thannhauser Collection. © The Solomon R. Guggenheim Foundation.

Page de gauche. Édouard Manet, *Devant la glace*, 1876. H/T, 92,1 x 71,4 cm. New York, Solomon R. Guggenheim Museum, Thannhauser Collection. © The Solomon R. Guggenheim Foundation.

La collection
Guggenheim à Bonn
Morceaux choisis

La réputation de la collection Guggenheim n'est plus à faire. C'est moins pour de véritables découvertes qu'il faut se rendre à la Kunsthalle de Bonn, où est exposé un florilège de 200 œuvres issues de la célèbre famille, que pour le plaisir de revoir des œuvres documentant l'histoire de l'art de tout le XXᵉ siècle, de Manet et Van Gogh au pop art et aux minimalistes. Retour sur l'histoire et les fleurons de cette exceptionnelle collection. Par Armelle Baron.

Dans la suite des expositions consacrées aux grandes collections – parmi lesquelles ont figuré le Museum of Modern Art de New York, l'Ermitage de Saint-Pétersbourg, le Prado à Madrid ou le musée national de Tokyo –, la Kunst- und Austellungshalle de Bonn présente actuellement les chefs-d'œuvre de la collection Guggenheim. Mais une partie de l'exposition rappelle aussi l'engagement fondamental de la fondation Guggenheim pour l'architecture contemporaine. Après la construction du bâtiment de Frank

Lloyd Wright qui abrita le premier ensemble d'œuvres de la collection Guggenheim, des architectes parmi les plus représentatifs de notre époque ont, à la demande de Thomas Krens, directeur de la fondation, réalisé des projets en vue de la construction de musées dans le monde entier. Ces projets architecturaux – les réalisations de Frank Gehry pour le Guggenheim Museum de Bilbao, les projets de Jean Nouvel pour le musée de Rio de Janeiro, ceux de Zaha Hadid pour le musée de Taiwan et ceux de

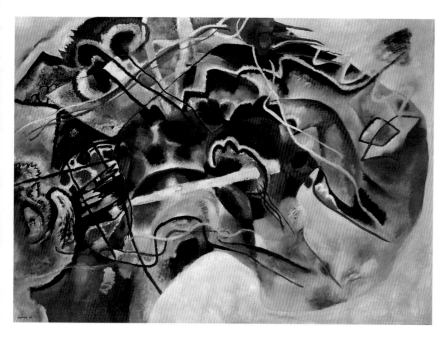

Wassily Kandinsky,
*Dessin à la bordure
blanche*, 1913. H/T,
140,3 x 200,3 cm.
New York, Solomon
R. Guggenheim
Museum. © VG Bild-
Kunst, Bonn 2006.
© ADAGP 2006.

Aux origines de la collection : Hilla Rebay et Solomon Guggenheim

La collection Guggenheim réunit un ensemble exceptionnel d'œuvres modernes et contemporaines, réparties aujourd'hui dans le monde entier (New York, Venise, Bilbao, Berlin et Las Vegas). Son histoire est liée à de fortes personnalités, parmi lesquelles celle de Solomon Guggenheim, riche industriel américain dont la famille fit fortune dans l'extraction de minerais. Mais la pierre angulaire de cette collection fut Hilla Rebay, née baronne Hilla Rebay von Ehrenwiesen qui, après des études d'art à Berlin et à Zurich, fit la connaissance de nombreux artistes contemporains ; parmi eux figuraient Hans Arp, Wassily Kandinsky, Paul Klee… Elle fut la première femme artiste allemande à s'orienter vers l'abstraction. En 1916, elle rencontra le peintre Rudolf Bauer (1889-1953), admirateur inconditionnel de Kandinsky, avec qui elle eut une liaison tumultueuse. Après avoir rompu avec lui en 1927, elle s'embarqua pour les États-Unis où elle fit connaissance de Solomon Guggenheim. À l'occasion de la réalisation de son portrait, l'industriel, qui avait jusqu'ici collectionné la peinture ancienne d'une façon très académique, découvrit le monde de l'art contemporain ; il avait alors 67 ans. Deux années plus tard, Hilla Rebay se rendit en Europe avec le couple Guggenheim afin d'acquérir des œuvres non figuratives. Parmi les premiers artistes de la future collection figurent Wassily Kandinsky, Paul Klee et Hans Richter qui avaient déjà attiré l'attention de la jeune artiste. C'est donc par le biais de Hilla Rebay et de Rudolf Bauer, tous deux restés en bons termes malgré leur séparation, liés sans doute par l'amour de la peinture non figurative, que Solomon Guggenheim commença une collection hors du commun.

Enrique Norten pour le futur musée de Guadalajara au Mexique – composent aux côtés des toiles et sculptures une exposition-dossier.

Les fondateurs de la collection avaient compris, il y a bien longtemps, à quel point un seul édifice était capable de définir une image. Le Guggenheim Museum de New York est devenu l'un des symboles architecturaux de notre époque. Aujourd'hui, les noms de Guggenheim et de Frank Lloyd Wright sont liés dans l'esprit du public. Depuis 1976, la collection de Peggy Guggenheim est, quant à elle, exposée dans un palais du XVIIIe siècle à Venise, tandis que le musée de Bilbao par Frank Gehry, monument visionnaire, est l'image même du musée du XXIe siècle.

Irène Guggenheim,
Wassily Kandinsky,
Hilla Rebay et
Solomon
R. Guggenheim chez
Wassily Kandinsky,
à la Bauhaus Dessau,
été 1930.
New York, Solomon
R. Guggenheim
Museum.
© The Solomon
R. Guggenheim
Foundation.

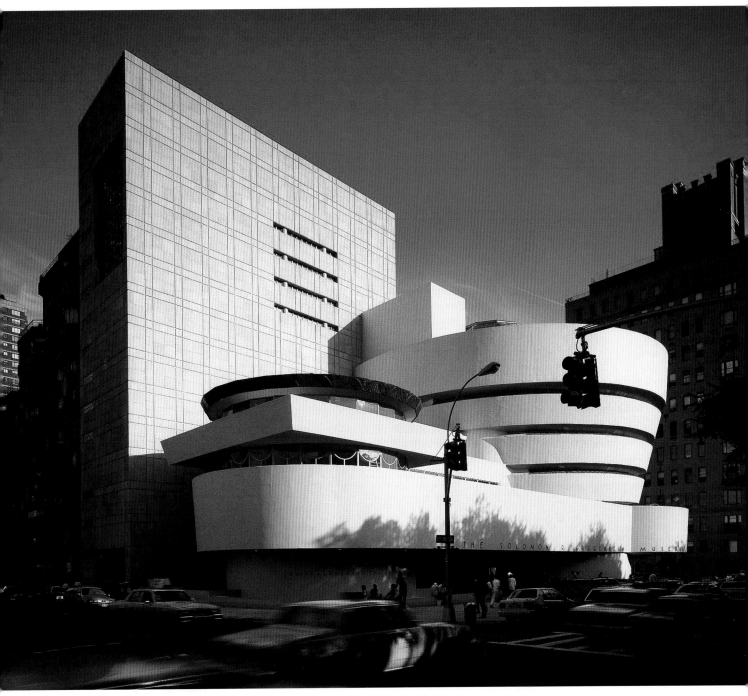

Le musée de Frank Lloyd Wright

En 1930, Hilla Rebay pensa à la création d'un musée afin de rassembler la collection de Solomon Guggenheim. Une exposition itinérante, la "Solomon R. Guggenheim Collection of Non-Objective Paintings", fut montée en 1936 ; elle fut présentée à Charleston, Philadelphie, et Baltimore. Parmi les artistes exposés figuraient Kandinsky, Fernand Léger, Moholy-Nagy et l'incontournable Bauer. Un an plus tard était créée la Solomon R. Guggenheim Foundation dont le commissaire n'était autre que Hilla Rebay, tandis qu'en 1939 le Museum of Non-Objective Painting s'installait dans les locaux d'un ancien magasin d'automobile.

C'est à cette époque que la célèbre nièce de Solomon,

Peggy Guggenheim, ouvrit une galerie à Londres, où elle exposa notamment Jean Cocteau et Yves Tanguy. Elle avait pour conseiller Marcel Duchamp. En 1949, elle s'installa définitivement à Venise. Ses choix furent très différents de ceux de son oncle : elle s'orienta vers le surréalisme et l'abstraction. Sa collection, qui compte des œuvres de Jackson Pollock, Mark Rothko et Willem De Kooning, entre autres artistes représentant l'expressionnisme abstrait américain, rejoignit la fondation Guggenheim en 1976, mais à condition qu'elle reste à Venise.

Hilla Rebay, afin de concrétiser son projet de musée, contacta Frank Lloyd Wright. À son instigation, le bâtiment est de forme hélicoïdale et ne comporte ni escalier, ni fenêtre.

Le Guggenheim Museum à New York, conçu par Frank Lloyd Wright, 1943-1959.
© The Solomon R. Guggenheim Foundation.
Photo David Heald.

33

De l'impressionnisme au pop art

De collections en collections, la fondation s'enrichit au cours des années pour être aujourd'hui un musée vivant, c'est-à-dire un musée regroupant des ensembles reflétant de fortes personnalités et non des achats successifs. On peut citer le legs de Katherine Dreier qui apporta à la fondation des œuvres de Brancusi, Arp, Juan Gris et Kurt Schwitters, ou bien l'achat de la collection Panza di Biumo, forte d'œuvres représentant l'art américain et européen postérieur à 1945. Après la mort de Solomon R. Guggenheim, Hilla Rebay fut évincée par la famille de la vie de la fondation ; elle ne vit jamais le musée qu'elle avait créé, pas plus d'ailleurs que Frank Llyod Wright, décédé six mois avant l'inauguration du musée.

En 1963, le nouveau directeur de la fondation, Thomas M. Messer, eut l'opportunité d'acquérir une grande partie de la collection impressionniste et post-impressionniste du marchand d'art Justin K. Thannhauser, dont des œuvres de Van Gogh, Monet, Gauguin, Picasso. Un tableau d'Édouard Manet, *Devant la glace* (1876), retient l'attention, car il a été peint après les années 1870, période où la palette de l'artiste s'éclaircit en conservant toujours le même souci de la représentation humaine. À cette époque,

Manet se débarrassa du contour noir, souvenir de l'influence espagnole qui caractérisait ses œuvres d'avant 1870. L'influence des impressionnistes est évidente dans cette palette très claire et une facture beaucoup plus libre. *Les Montagnes à Saint-Rémy* (1889) de Vincent Van Gogh datent de l'installation de l'artiste à Arles. Il fut alors ébloui par la lumière du Midi et son style s'enrichit de nouvelles nuances chromatiques ; mais cette époque fut aussi celle de ses premières angoisses et violences, traduites dans ses toiles par un travail fébrile.

Wassily Kandinsky tient une place particulière dans la collection Guggenheim. N'oublions pas que c'est autour de l'œuvre de cet artiste que se sont rencontrés Hilla Rebay, Rudolf Bauer et Solomon Guggenheim. La rencontre s'est produite au moment où Kandinsky disait vouloir pénétrer l'intérieur de la forme, ne plus emprunter à la nature, "ne plus représenter les apparences extérieures de l'objet, mais ses éléments constructifs, ses lois de tension" ; les signes deviennent alors des symboles et des moyens picturaux.

Le mouvement appelé expressionnisme abstrait apparut à New York dans les années 1940, les premiers représentants étant Jackson Pollock, présent ici avec *La Femme Lune* (1942) et *La Forêt*

Ci-dessous.
Jackson Pollock, *La Femme Lune*, 1942. H/T, 175,2 x 109,3 cm. Venise, Peggy Guggenheim Collection.
© The Solomon R. Guggenheim Foundation.
© ADAGP 2006.

À droite.
Richard Serra, *Pelle*, 1969. Acier, 203 x 213,4 x 81,3 cm. New York, Solomon R. Guggenheim Museum, Panza Collection.
© VG Bild-Kunst, Bonn 2006.
© ADAGP 2006.

enchantée (1947), et Marc Rothko avec une toile datée 1949. Ces tableaux proviennent de la collection Peggy Guggenheim, à Venise.

En opposition à l'expressionnisme abstrait, un art qualifié de "minimal" se développa aux États-Unis à partir de 1963. Les artistes refusaient la figuration et produisaient des formes géométriques épurées. Les œuvres sont généralement monochromes et composées de produits manufacturés ; Bruce Nauman avec le *Couloir à lumière verte* (1970) en est l'un des représentants. Il attira l'attention des spectateurs en utilisant l'agression, qui prit chez lui toutes sortes de formes. Donald Judd réalisa des "objets spécifiques" avec des règles incontournables, notamment en n'utilisant jamais plus de deux couleurs, ou deux matériaux. Après 1970, comme le montre son œuvre *Sans titre* (1974), ses structures deviennent plus importantes et "se placent dans l'espace". Le *Labyrinthe* (1974) de Robert Morris s'inscrit dans ce mouvement. Le labyrinthe est un sujet récurrent chez cet artiste ; il y projette souvent des vidéos ou des diaporamas qui rappellent le passé. Une très belle œuvre de Richard Serra, *Pelle* (1969), montre le travail de l'acier : une immense plaque est disposée dans l'espace, sans soudure et sans béquille, comme une "sorte de disjonction". Le pop art est le reflet de la société de consommation, exécuté avec une certaine froideur. Ses références sont la culture populaire, les objets quotidiens, la BD, la publicité, le cinéma et les magazines. Il est représenté par des œuvres de Robert Rauschenberg ou un tableau significatif de Roy Lichtenstein, *Intérieurs avec miroirs aux murs* (1991), à propos duquel on peut citer l'artiste : "Disons tout simplement que j'utilise le travail graphique des autres, plutôt que la nature. C'est mon outil… je n'y touche pas, mais je crée une œuvre qui m'est propre". Autre artiste, icône du pop art, Andy Warhol, dont deux tableaux majeurs sont montrés à Bonn : *Le Désastre orange* (1963) et un *Autoportrait* (1986). Il fut celui dont l'œuvre est liée à l'American Way of Life. Il incarne à lui seul l'esprit du pop art car il affirmait que, "une fois qu'on a commencé à penser pop, on ne peut plus voir l'Amérique de la même façon".

"La collection Guggenheim" jusqu'au 7 janvier 2007, et **"L'architecture Guggenheim"** jusqu'au 12 novembre 2006, au centre d'art et d'expositions de la République fédérale d'Allemagne, à Bonn, tél. 00 49 228 9171 200. www.bundeskunsthalle.de Exposition réalisée en partenariat avec Thalys.

Roy Lichtenstein, *Intérieurs avec miroirs aux murs*, 1991. Huile et magna sur toile, 320,3 x 406,2 cm. New York, Solomon R. Guggenheim Museum. © The Solomon R. Guggenheim Foundation. © ADAGP 2006.

Les dessins du musée des Arts décoratifs de Lyon

La collection de dessins du musée des Arts décoratifs de Lyon demeure peu étudiée ; à l'exception de quelques feuilles publiées ou exposées dans de grandes manifestations, l'on ignore souvent que ce fonds, créé dans l'intention de fournir des modèles aux soyeux lyonnais, recèle des œuvres de Guerchin, Ingres, Rosso, Saenredam ou Rodin. Cet article nous propose un aperçu des chefs-d'œuvre dessinés du musée.

Par Benoît Berger et Jérôme Bouchet, *titulaires d'un master d'histoire de l'art.*

Une collection méconnue

1. Le musée conserve par ailleurs de nombreuses œuvres de cet artiste voyageur : fleurs et paysages à la gouache, au pastel ou au crayon.

Installé en 1925 dans l'hôtel de Lacroix-Laval, le musée des Arts décoratifs de Lyon puise ses origines dans le musée d'Art et d'Industrie. Inauguré en 1864 au palais du Commerce, son principe, établi par Natalis Rondot, était calqué sur celui du South Kensington Museum de Londres (actuel Victoria & Albert Museum). Conçu comme un conservatoire des métiers et savoir-faire, le musée devait réunir de nombreux échantillons textiles ainsi que des estampes et des dessins, afin d'inspirer les soyeux lyonnais dont l'industrie était en difficulté.

Des dessins pour un musée-école

Le dessin *Fleurs idéales* de Jean-Baptiste Pillement illustre parfaitement le projet originel du musée. Il s'agit d'un calque produit par un artiste lyonnais, dédié à une étude de fleur qui aurait pu servir de modèle pour les soyeux [1]. Dans ce contexte, les premiers achats

Jean-Baptiste Pillement (1728-1808), *Fleurs idéales*. Pinceau et encre brune, lavis brun et gris sur calque, 47,6 x 34 cm. © musée des Tissus et des Arts décoratifs de Lyon / Pierre Verrier.

Page de droite. Auguste Rodin (1840-1917), *Couple enlacé*. Aquarelle, 25,6 x 17,3 cm. © musée des Tissus et des Arts décoratifs de Lyon / Sylvain Pretto.

de dessins sont effectués en 1861 puis s'intensifient jusqu'en 1866, année où plus de 500 dessins sont achetés. Vient ensuite une période de déclin des achats jusqu'à la fermeture du musée en 1890 [2]. Il faut attendre 1925 et l'ouverture du musée des Arts décoratifs pour que les dons et les achats reprennent.

La plupart des dessins ayant été acquis alors proviennent de deux marchands parisiens : Rochoux et Basset. Ces derniers effectuaient des achats dans les ventes aux enchères et proposaient ensuite des lots au musée. D'autres dessins sont issus de transactions avec des marchands dont l'identité reste inconnue. Le livre d'entrée des collections ne mentionne en effet pas toujours le lieu d'achat des dessins. De plus, il est difficile de retracer l'historique précis de certaines feuilles, les numéros d'entrée n'ayant pas toujours été reportés sur ces dernières et l'inventaire ayant souvent été réalisé par lots. Seul repère concret : les marques de collection. L'étude de ces dernières révèle souvent des provenances illustres : Pierre Crozat, Sir Joshua Reynolds, Thomas Lawrence, Desperet, Malausséna. D'autres collectionneurs inconnus éveillent l'intérêt : le "double numbering collector" ou un collectionneur vénitien du XVIIIe siècle appelé "mano veneziana" en raison de ses annotations.

En 1926, lors d'un récolement effectué par Henri d'Hennezel, l'ensemble de la collection comprend environ 1 100 numéros, composés de dessins de diverses écoles : environ 477 feuilles italiennes, 486 dessins français, 14 espagnols, 72 flamands et 28 hollandais, le reste étant sans attribution. On peut aujourd'hui estimer à 1 800 le nombre de dessins du musée.

Rosso, Parmesan, Vasari : un important fonds italien

La péninsule italienne est particulièrement illustrée, notamment par un petit dessin (6 x 8 cm) de Polidoro da Caravaggio, *Saint Jérôme pénitent*. Cette feuille, issue de la collection Crozat, affiche les mêmes caractéristiques qu'une autre conservée au Church College d'Oxford, proposant huit autres études du saint en pénitence. Polidoro semble avoir réalisé ce dessin vers 1528, peu après son installation à Messine. De Florence provient un dessin de Giovanni Battista Rosso, dit Rosso Fiorentino : *Pluton et Cerbère*. Cette feuille fut réalisée entre 1523 et 1524 à Rome, où se trouvait l'artiste. Elle fait partie d'une suite de vingt dessins de figures mythologiques, dite *Les Dieux dans les niches*, qui fut gravée à Rome par Jacopo Caraglio en 1526, puis en 1530 par Jacques Bink et une dernière fois en contrepartie à la fin du

Rosso Fiorentino (1494-1540), *Pluton et Cerbère*.
Sanguine, 21,4 x 10,9 cm. © musée des Tissus et des Arts décoratifs de Lyon / studio Basset.

Pirro Ligorio (1513-1583), *Allégorie de la Géométrie*.
Plume et encre brune, 32,5 x 47,9 cm. © musée des
Tissus et des Arts décoratifs de Lyon / Pierre Verrier.

XVIᵉ siècle. Trois autres dessins de la suite sont aujour-d'hui conservés dans des collections publiques : *Bacchus* au musée des Beaux-Arts de Besançon, *Proserpine* et *Mars* au Louvre.

Un dessin issu de la collection du peintre anglais Sir Joshua Reynolds a été reconnu en 1984 par Roseline Bacou comme étant de Girolamo Francesco Mazzola, dit Parmigianino. Il montre un groupe d'anges musiciens sur un nuage, thème cher à Parmesan, se retrouvant sur deux autres feuilles conservées l'une à Chatsworth, l'autre à Cambridge. Cet ensemble daterait de la période romaine du peintre (1524-1527).

Une *Allégorie de la Géométrie* est due à Pirro Ligorio. Elle fait partie d'une suite de trois lunettes dont une est conservée au Louvre (la Géographie et l'Astronomie) et une à Chatsworth (les Mathématiques). Exécutées avec un détail tout particulier et d'une cohérence évidente dans le thème, ces feuilles semblent être des projets pour un unique décor à fresque. David Coffin, spécialiste de Ligorio, les situe après 1570, date d'un tremble-ment de terre à Ferrare, où vivait le peintre.

De Paolo Farinati, artiste de l'école véronaise, le musée conserve un projet de décor, *Hercule accom-pagné d'un personnage féminin*. Ce dernier pourrait avoir servi pour la décoration du Palazzo Murari à Vérone. Pour cette ville en effet, comme pour ses voisines, l'activité de Farinati comme décorateur fut très intensive à partir de 1580, en collaboration avec ses deux fils. D'autres feuilles dans le même goût sont conservées à l'École nationale supérieure des beaux-arts et au Louvre.

Du biographe et artiste Giorgio Vasari, le musée conserve deux études préparatoires au décor de la pièce de théâtre *La Talenta*, qui fut jouée lors du carnaval de 1542 à Venise. Dès 1541, Vasari travaillait à l'appareil scénique dont la réalisation fut commandée à l'Arétin. Les deux dessins représentent les figures des fleuves Arno et Tibre. Leur écriture rapide suggère qu'il s'agit d'une première pensée de l'artiste. En effet, il existe au Rijksmuseum, à Amsterdam, une autre feuille sur le même thème, mais d'un aspect plus fini et d'une technique beaucoup plus élaborée.

Issu de la collection Desperet, artiste graveur du début du XIXᵉ siècle et élève de Lethière, un dessin de Guerchin présente une *Femme en buste*. Datable entre 1617 et 1623, cette feuille a été réalisée lors de son séjour à Rome. Elle n'a pu être rapprochée d'une pein-ture mais témoigne de qualités graphiques indéniables. Le musée conserve en outre une feuille attribuée à l'artiste génois Domenico Piola : *La Vierge et saint Laurent*. Piola domine l'art génois du XVIIᵉ siècle en fondant son atelier, la "casa Piola". Le dessin, entre grâce et emphase, possède tout l'esprit baroque qui innerve l'art génois de cette époque. La plume délimitant la pose des lavis est par ailleurs caractéris-tique de la technique précise de Piola. Cette feuille porte enfin une annotation de la main du "double numbering collector". Ce collectionneur anonyme est connu pour avoir numéroté ses feuilles et reporté, en bas et en toutes lettres, le numéro en italien.

2. Année de création du musée historique des Tissus entraînant la mise en caisse des collections d'art décoratif et des dépôts au musée des Beaux-Arts de Lyon.

Cette numérotation continue laisse penser que ces pièces étaient conservées sous forme de recueil.

Fils de Giovanni Battista, Giovanni Domenico Tiepolo illustre pour sa part l'école vénitienne. La feuille conservée au musée présente *Six Études d'animaux*, thème récurrent chez l'artiste qui aimait à explorer le réel animalier. D'autres feuilles, comme *L'Autruche* conservée à la fondation Custodia, à Paris, témoignent de cet attachement particulier.

La qualité des dessins du Nord

Les écoles du Nord s'avèrent plus rares dans la collection. Deux dessins d'ermites par Maerten de Vos y représentent l'art anversois de la seconde moitié du XVIe siècle. L'*Ermite lisant dans un paysage* est signé et daté 1580. Les compositions de De Vos se caractérisent souvent par un premier plan habité associé à un paysage. Fait notable, cette feuille a été gravée en contrepartie par Jean Sadeler I. Le second dessin, daté 1586, représente un *Saint Antoine ermite*. L'artiste a exécuté une suite de dix-sept autres dessins d'ermites conservée au musée de Berlin.

Charles Le Brun (1619-1690), *Le Char d'Apollon. Le Soir.* Plume et encre brune, 17,8 x 54,9 cm. © musée des Tissus et des Arts décoratifs de Lyon / Sylvain Pretto.

Peter Saenredam est aussi présent dans la collection avec un rare *Intérieur de la cathédrale Saint-Jean de Bois-le-Duc*. En 1627, il illustra un ouvrage de Samuel Ampzing sur les églises de Haarlem, ce qui sembla déterminer chez lui un intérêt tout particulier pour le dessin d'architecture. Ici, la feuille montre l'intérieur de la cathédrale de Bois-le-Duc où Saenredam séjourna entre le 29 juin et le 23 juillet 1632. La feuille est datée du 2 juillet 1632. Il existe d'autres vues de la cathédrale aux musées royaux des Beaux-Arts de Bruxelles, au British Museum et à Bois-le-Duc.

Le Brun, La Fosse, Greuze, Rodin : une collection française fournie

L'école française est la plus représentée dans la collection du musée. Elle compte notamment une étude de Charles Le Brun pour l'un des quatre frontons de Marly. La feuille représente le Soir, lorsque le char d'Apollon décline, suivi de près par la Nuit qui le couvre de son voile. Ce projet fait partie d'une série de quatre dont seuls deux subsistent (l'autre étant conservé au Louvre). Ces frontons étaient peints à fresque pour le pavillon de Marly et représentaient les quatre Heures du jour. Terminés en 1686, ils furent immédiatement célébrés dans le *Mercure Galant*.

Parmi les œuvres du Grand Siècle, on remarque deux dessins de Charles de La Fosse. La première feuille est une *Étude de femme debout*, esquisse pour l'un des personnages du *Repos de Diane* conservé à l'Ermitage. La seconde est une *Étude de femme allongée*, projet pour l'un des personnages de *L'Enlèvement d'Europe* conservé dans une collection particulière britannique. La collection compte en outre une rare feuille de Gilles Marie Oppenord, architecte du duc d'Orléans : le *Titre-frontispice* pour le dernier recueil gravé de ses œuvres. Dit aussi

Ci-contre. Peter Saenredam (1597-1665), *Intérieur de la cathédrale Saint-Jean de Bois-le-Duc.* Plume et encre brune, aquarelle, 36,1 x 25,5 cm. © musée des Tissus et des Arts décoratifs de Lyon / studio Basset.

Page de droite. Domenico Piola (1627-1703), *La Vierge et saint Laurent.* Plume et encre brune, 26,2 x 15,4 cm. © musée des Tissus et des Arts décoratifs de Lyon / Pierre Verrier.

Grand Oppenord, ce dernier fut publié entre 1748 et 1751 par Gabriel Huquier. Une autre version de ce frontispice, qui n'aurait pas servi lors de la gravure, est conservée au Rijksmuseum.

Élève de son père et de Charles de La Fosse, Parrocel travailla avec Louis de Boullogne puis s'engagea à 17 ans dans la cavalerie. De là lui vint son goût pour les scènes militaires dont le musée possède un exemple à la plume. Deux sanguines figurant des Orientaux, anciennement attribuées à Tiepolo, lui ont par ailleurs été rendues par Pierre Rosenberg. Un dessin de Gabriel de Saint-Aubin montre l'intérieur de la galerie de l'hôtel parisien de Paul Randon de Boisset. Fermier général, Randon fit plusieurs voyages, en Italie (1753) et en Hollande (1766), où il put assouvir ses goûts de collectionneur. De Jean-Baptiste Greuze, le musée possède deux intéressants dessins de jeunesse : *Vieille femme assise*

Ci-dessous. Gilles Marie Oppenord (1672-1742), *Projet pour le titre-frontispice des œuvres d'Oppenord*. Plume et encre brune, lavis brun, 51,8 x 33,2 cm. © musée des Tissus et des Arts décoratifs de Lyon / Sylvain Pretto.

À droite. Gabriel de Saint-Aubin (1724-1780), *La Galerie Randon de Boisset*. Sanguine et pierre noire, 19,9 x 15,7 cm. © musée des Tissus et des Arts décoratifs de Lyon / studio Basset.

et *Homme assis tenant un livre*. Il s'agit d'études pour la toile *Le Père de famille qui lit la Bible à ses enfants* (1755). Sous des lavis bruns au service d'une description très réaliste, Greuze pose là, pendant ses années de formation, les fondements de son art.

Issue de la collection d'Alexandre Lenoir, créateur du musée des Monuments français, *La Découverte d'un squelette dans une maison de Pompéi* est un dessin de Jean-Honoré Fragonard. La feuille est datée 1774, année du second voyage de l'artiste en Italie, qu'il effectua en compagnie de son ami Bergeret. On assiste, croquée sur le vif, à la découverte d'un squelette de femme, renversée par une coulée de cendres. Bergeret note ainsi dans son journal : "6 mai 1774. Dans une maison [...] on y voit [...] un tas de cendres sur lequel est le cadavre d'une femme". Ce dessin au trait vaporeux évoque bien la manière de Fragonard, de l'ordre de la suggestion et de la légèreté. La feuille a été gravée pour l'illustration du *Voyage pittoresque de Naples et de la Sicile* de l'abbé de Saint-Non.

Le musée conserve en outre des sanguines d'Hubert Robert, parmi lesquelles deux représentent des temples inspirés de celui de la Concorde à Rome. Témoignages directs du séjour de l'artiste comme

Jean-Honoré Fragonard (1732-1806), *La Découverte d'un squelette dans une maison de Pompéi*. Lavis brun, 28,5 x 36,8 cm. © musée des Tissus et des Arts décoratifs de Lyon / Sylvain Pretto.

pensionnaire dans la ville éternelle, ces feuilles annoncent une inspiration qui traversa sa carrière entière.

La collection compte aussi plusieurs pages de carnets du peintre Jacques-Louis David. Ces pages, paraphées par les deux fils de l'artiste lors de sa vente après décès, sont des études pour *Léonidas aux Thermopyles* (Louvre). La vente après décès ne comptait pas moins de trente-sept carnets consacrés à cette toile, à laquelle David travailla de 1799 à 1814.

Seul dessin de Jean-Auguste-Dominique Ingres, un portrait daté 1828 représenterait Madame Brazier, qui serait la tante des frères Balze, élèves d'Ingres. La technique est typique des portraits dessinés par l'artiste, proposant à la fois un luxe de détails pour le visage, et des mains et un costume à peine suggérés.

En 1986, enfin, entrait le legs Bardey. Henriette Bardey, dont la mère, Jeanne, fut élève de Rodin, offrit à cette occasion seize dessins du maître. Après une longue suite autour de *La Divine Comédie*, il dessina en 1908 une série de nus féminins exposés à la galerie Devambez. Cette série, écho de l'évolution de l'œuvre sculpté de l'artiste, semble aussi avoir des répercussions sur son art graphique dont les dessins du musée sont témoins.

Des feuilles liées à l'histoire de Lyon

De la collection du baron de Malausséna (vendue à Paris en 1866), une *Étude de tête de chèvre* est due au peintre lyonnais Jean-Jacques de Boissieu. Formé chez Lombard et Frontier, de Boissieu séjourna à Paris de 1763 à 1764 où il fit, entre autres, la connaissance de Greuze. Il se rendit en Italie en 1765 et s'installa définitivement à Lyon en 1772. Notre feuille s'inscrit dans un courant d'étude du réel humain [3] ou animal propre à l'artiste. Entré au musée comme étant attribué à Jean-Baptiste Huet, ce dessin fut rendu à de Boissieu par Marie-Félicie Pérez.

Un pan majeur du corpus des dessins français du musée reste constitué par les trente-neuf feuilles de Jean-Démosthène Dugourc, entrées en 1988 par préemption. Dessinateur du garde-meuble de la Couronne en 1784, Dugourc créa de nombreux projets pour la manufacture de soierie lyonnaise Pernon. Parmi ces dessins, on remarque un *Projet de salle égyptienne pour l'Espagne*. Jamais réalisée, l'idée de l'artiste s'inscrit dans une mode initiée entre autres par Piranèse dès avant la campagne de Bonaparte. Antoine Berjon, artiste lyonnais formé chez le sculpteur Antoine-Michel Perrache, fut essentiellement dessinateur pour la Fabrique. En 1810, il fut nommé professeur de la classe de la fleur à l'école de dessin de Lyon. Parmi les divers dessins que le musée conserve de cet artiste, un autoportrait le représente dans une tenue d'intérieur, chemise ouverte.

3. De Boissieu s'est particulièrement attaché, par exemple, à l'étude de visages d'après nature dont il fit de véritables têtes d'expression (*Tête de vieille femme* conservée au musée).

Ingres Del.
1828

Ci-dessus. Jean-Jacques de Boissieu (1736-1810), *Étude de tête de chèvre*. Lavis brun et noir, 22 x 16,6 cm. © musée des Tissus et des Arts décoratifs de Lyon / Sylvain Pretto.

À droite. Antoine Berjon (1754-1843), *Autoportrait présumé*. Lavis brun avec rehauts de blanc, 26,1 x 21,1 cm. © musée des Tissus et des Arts décoratifs de Lyon / Sylvain Pretto.

Page de gauche. Jean-Auguste-Dominique Ingres (1780-1867), *Portrait dit de Madame Brazier*. Mine de plomb, 25,9 x 19,1 cm. © musée des Tissus et des Arts décoratifs de Lyon / Sylvain Pretto.

Autre Lyonnais, Philippe Auguste Hennequin est présent au musée avec deux feuilles. L'une, d'un très grand format, illustre un thème à caractère historique, *Les Martyrs de Prairial* ; l'autre est une *Allégorie familiale*.

Un fonds promettant de nouvelles découvertes

Des prêts à des expositions prestigieuses (les rétrospectives parisiennes Fragonard et David, par exemple) ont attiré l'attention des spécialistes sur l'ensemble des dessins réunis au musée. Des pièces comme la *Vieille Femme assise* de Greuze ou le *Pluton et Cerbère* de Rosso ont souvent été reproduites et font figures de "stars" de la collection. Ces feuilles sont pourtant l'arbre qui cache la forêt. Abordée pour certains domaines dans le cadre de

travaux universitaires (les feuilles de Jean-Jacques de Boissieu ou l'ensemble du fonds d'ornement par Mmes Pérez et Gabel-Merle ; le catalogue de H. Pommier des feuilles du Settecento italien), la collection réserve encore de belles surprises. Sans doute est-ce là la rançon d'un catalogue établi il y a longtemps déjà, d'acquisitions remontant au XIXe siècle et d'un récolement globalement basé sur des attributions anciennes.

D'où la nécessité d'une étude renouvelée de ce fonds. Après des feuilles de Parrocel identifiées par Pierre Rosenberg sous une attribution à Tiepolo, des travaux en cours ont permis de redonner à Jardin, rare Piranésien français, un dessin jusque-là classé sous le nom de Bellotto et connu par la seule gravure. Dans les feuilles italiennes, la belle *Allégorie* polylobée attribuée à Cortone est aujourd'hui rendue à de Rossi, artiste napolitain, par comparaison avec une feuille apparemment de la même série, conservée au Louvre. De belles possibilités demeurent donc pour cette collection, qui mérite toute l'attention.

Bibliographie

- *Dessins du XVIe au XIXe siècle de la collection du musée des Arts décoratifs de Lyon*, catalogue d'exposition du musée des Tissus et des Arts décoratifs, 1984-1985.
- Henriette Pommier, *Catalogue raisonné des dessins italiens du XVIIe siècle du musée des Arts décoratifs de Lyon* (thèse dactylographiée), université Lyon 2, 1982.

Musée des Tissus et des Arts décoratifs de Lyon, 34 rue de la Charité, 69002 Lyon, tél. 04 78 38 42 00. www.musee-des-tissus.com
À voir dans la série "Découverte des collections" :
- "Dessine-moi une bataille" jusqu'au 29 octobre 2006,
- "Rendre à César ce qui est à Paris. Dessinateurs français à Rome" du 21 novembre 2006 au 21 janvier 2007.

Nous dédions cet article à Mme Evelyne Gaudry-Poitevin qui a consacré toute sa carrière au musée des Arts décoratifs de Lyon, animée d'une attention toute particulière envers le cabinet des dessins.

Yves Klein
la quête de l'immatériel

La brièveté de sa carrière n'a pas empêché Yves Klein de devenir un jalon de l'histoire de l'art moderne. Dans ses peintures, sculptures ou performances, dans ses célèbres *Monochromes* et *Anthropométries* comme dans ses reliefs éponges ou ses *Cosmogonies*, il a cherché à capter l'essence de la couleur et, par-delà, l'essence de l'art et de l'immatérialité. Le Centre Pompidou retrace cette quête à travers 160 œuvres exceptionnellement réunies. Par Annie Yacob.

Yves Klein, né en 1928 à Nice, et mort prématurément d'une crise cardiaque à Paris, en 1962, à l'âge de 34 ans, a construit et développé son œuvre sur une période de sept ans, courte mais riche d'expériences plastiques souvent incomprises pa le public de l'époque et parfois encore par celui d'aujourd'hui. La brièveté de sa carrière et l'abondance de ses idées, parfois révolutionnaires, anticipant sur l'art conceptuel, l'art corporel, ou encore le Land Art, ont suscité le mythe Klein. Issu d'une famille de peintres, Yves Klein est cependant un artiste autodidacte, qui refuse toute étiquette d'avant-garde. Il se définit d'ailleurs comme un peintre "classique". En 1957, il écrit : "La peinture abstraite, c'est de la littérature pittoresque sur des états psychologiques. C'est pauvre. Je suis heureux de ne pas être un peintre abstrait." Pour Yves Klein, l'instrument de l'art n'est pas la peinture mais la vie, qui est un principe universel : "Pour moi, la peinture n'est plus en fonction de l'œil aujourd'hui ; elle est en fonction de la seule chose qui ne nous appartienne pas en nous : notre vie" (1959). Autrement dit, la manifestation picturale est un phénomène existentiel doué d'une valeur immatérielle et absolue, ce qui ne nous appartient pas étant de l'ordre de Dieu. Le peintre est donc le médiateur d'une transcendance, un créateur de beauté. Sa sensibilité picturale se confond avec la perception de cette réalité immatérielle qui est la manifestation de l'énergie cosmique. Conscient de la complexité de sa philosophie, Yves Klein, très tôt, veut créer une école de la sensibilité ; ce désir est resté à l'état de projet.

Ci-contre. SE 206 : *Sculpture éponge rose sans titre*, 1959. Pigment pur et résine synthétique, éponge naturelle sur tige en métal sur socle, H. 34 cm. Coll. part. © ADAGP 2006.

Page de droite. COS 10 : *Vent Paris-Nice*, 1960. Pigment pur et liant sur papier, 93 x 73 cm. Coll. part. © ADAGP 2006.

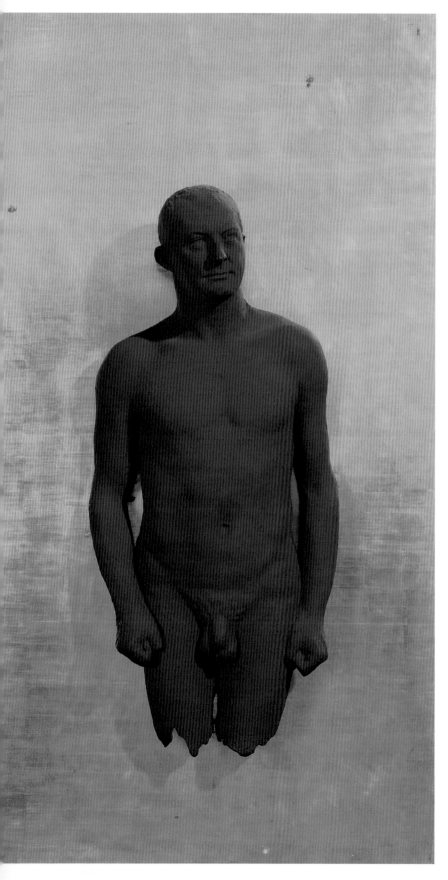

Le bleu Klein ou l'aventure monochrome

Adoubé chevalier de l'ordre des Archers de Saint-Sébastien le 11 mars 1956, il choisit pour devise : "Pour la couleur, contre la ligne et le dessin !" Cette profession de foi traduit sa grande préoccupation picturale : la couleur pure. L'aventure monochrome débute tôt dans la carrière de l'artiste, en 1946. Dès cette époque, il identifie intuitivement la couleur à la matérialisation de l'énergie cosmique en libre diffusion dans l'espace : "Cette sensation de liberté totale de l'espace sensible pur exerçait sur moi un tel pouvoir d'attraction que je peignais des surfaces monochromes pour voir, de mes yeux voir, ce que l'absolu avait de visible". Les premiers monochromes d'Yves Klein sont indifféremment rouge, orange, jaune, vert, bleu… La technique employée est d'abord la gouache, puis le pastel, avant d'opter pour des pigments industriels fixés par un vernis spécial. Ces derniers sont exposés pour la première fois à Paris en 1955, devant un public insensible.

En 1956, le peintre commence à se consacrer aux monochromes bleus, après avoir mis au point l'IKB (International Klein Blue), ce bleu outremer qui est, selon lui, "la plus parfaite expression du bleu". Durant l'année 1957, il participe à plusieurs expositions sur ce thème, à Milan, à Paris et en Allemagne. De cette période date l'IKB 22, un *Monochrome bleu sans titre*, comme cela est souvent le cas. Cette même année, il rencontre à Nice Rotraut Uecker qui devient son épouse le 21 janvier 1962, quelques mois avant sa mort (le 6 juin 1962).

Des reliefs éponges aux espaces vides

Le monochrome a une double filiation : d'une part, les éponges et les reliefs éponges et, d'autre part, les zones de sensibilité picturale immatérielle, c'est-à-dire le vide. Yves Klein utilise pour la première fois les éponges entre 1957 et 1958, pour le décor de l'opéra de Gelsenkirchen, en Allemagne. Les éponges sont imprégnées de bleu ; il existe cependant quelques pièces rose et or, comme RE 47, *Relief éponge or sans titre* (1961). Les éponges sont souvent fichées sur une tige métallique rigide dont le socle est constitué d'une plaquette métallique, de la tige elle-même repliée à plat en cercle, puis d'une pierre. Leur objectif est de rompre l'ordonnance du monochrome par un phénomène de concentration de la couleur. L'éponge brute trempée dans la peinture bleue symbolise en effet l'imprégnation

PR 1 : *Portrait relief d'Arman*, 1962. Pigment pur et résine synthétique sur bronze monté sur bois recouvert de feuilles d'or, 176 x 94 x 26 cm. Paris, musée national d'Art moderne. © ADAGP 2006.

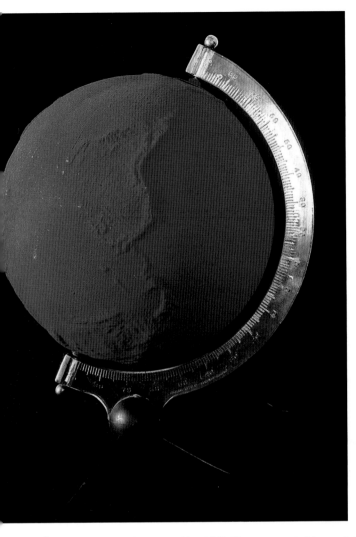

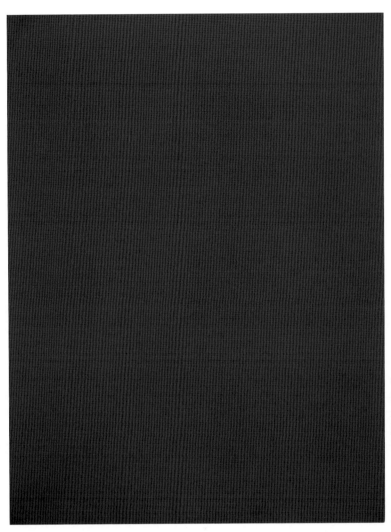

À gauche. RP 5 : *Globe terrestre bleu*, 1962. Pigment pur et résine synthétique, mappemonde en polyester et arc en plastique gradué, pied en métal, 37,5 x 24,5 x 21,5 cm. Coll. part. © ADAGP 2006.

À droite. IKB 75 : *Monochrome bleu sans titre*, 1960. Pigment pur et résine synthétique sur gaze montée sur panneau, 199 x 153 x 2,5 cm. Humlebaek, Louisiana Museum of Modern Art. © ADAGP 2006.

de la matière par la couleur et témoigne de sa transformation dans cette même couleur.

La désintégration de la matière conduit ensuite Yves Klein au vide. La peinture, déjà libérée des lignes grâce à la couleur, est à présent délivrée de sa substance matérielle. Les espaces vides, qu'il nomme zones de sensibilité picturale immatérielle, sont mis au point dès 1957, lors de son exposition à la galerie Colette Allendy. Klein vide une salle qu'il présente au public sous le titre *Surfaces et blocs de sensibilité picturale, intentions picturales*. Pour lui, le vide est la création d'un état sensible pictural invisible et intangible, tout en étant réel. Le vide est structuré par l'air qui véhicule de l'énergie dans l'espace. L'air devient un matériau de construction pour l'architecture immatérielle. Klein imagine par exemple en 1959 le *Sous-sol d'une cité climatisée* (*Climatisation de l'espace*). Il ajoute ensuite à l'air l'eau et le feu, et envisage ainsi diverses fontaines d'eau et de feu, comme *L'Eau et le Feu* (*Fontaine de feu*) (1959). Dans cette perspective cosmique s'inscrivent les *Cosmogonies*.

Cosmogonies, Anthropométries et portraits reliefs

Les *Cosmogonies* sont des morceaux de nature découpés dans l'infini du cosmos. Ce sont des monochromes perturbés par la pluie, le vent, l'orage, les végétaux… faisant apparaître à la surface des rythmes et des mouvements naturels qui n'ont rien à voir avec les contours ou les formes exécutés par l'homme. Yves Klein réalise sa première *Cosmogonie* en mars 1960, lors d'un voyage de Paris à Nice. Il accroche sur le toit de sa voiture une feuille de papier marouflée enduite de couleur. À l'arrivée, le vent et la pluie ont modelé le monochrome en spirales linéaires et donné naissance à COS 10, *Vent Paris-Nice* (1960). Les *Cosmogonies* traduisent ainsi l'empreinte de la nature.

À l'instar des *Cosmogonies*, les *Anthropométries* révèlent l'empreinte du corps laissée sur la surface picturale. Elles peuvent être statiques, comme dans ANT 96, *People Begin to Fly* (1961), ou dynamiques, quand le ou les corps nus, badigeonnés de peinture

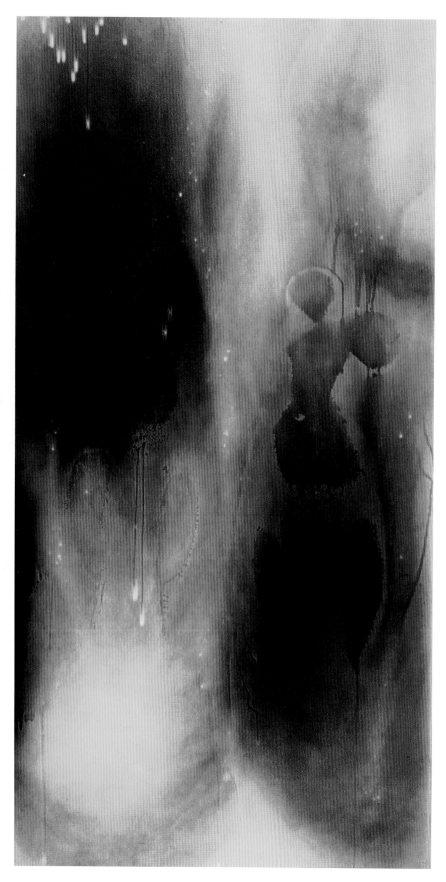

F 80 : *Peinture de feu sans titre*, 1961. Carton brûlé sur panneau, 175 x 90 cm. Coll. part. © ADAGP 2006.

sur les parties pleines – seins, ventre, cuisses (plus rarement les bras, le visage, les cheveux, ou les parties intimes) –, devenus ainsi des pinceaux vivants, sont traînés sur la toile ou se contorsionnent, en suivant avec précision la chorégraphie orchestrée par Yves Klein et rythmée par sa symphonie Monoton : vingt minutes d'un son continu, suivies de vingt minutes de silence et d'immobilité absolue. Dans les *Anthropométries suaires*, l'artiste utilise des étoffes.

Le 27 octobre 1960 est fondé le groupe des Nouveaux Réalistes, constitué de Pierre Restany, Yves Klein, Arman, François Dufrêne, Raymond Hains, Martial Raysse, Daniel Spoerri, Jean Tinguely et Jacques Villeglé, qui proclament leurs "nouvelles approches perceptives du réel". Yves Klein décide de réaliser une série de portraits reliefs pour signifier l'appropriation, l'imprégnation symbolique de ces artistes perceptifs d'un nouveau réel. Il effectue quelques moulages de ses amis, mais seul le *Portrait relief d'Arman* (1962) est terminé. Le groupe est dissout le 8 octobre 1961.

Le bleu, l'or et le rose : synthèse de la flamme du feu

Entre 1959 et 1960, Yves Klein met au point sa trilogie de la couleur. Le bleu se réfère au spirituel, le rose à la vie et l'or à l'absolu. Ces couleurs ont leur synthèse énergétique dans la flamme du feu qui, en se consumant, les libère toutes les trois. Autrement dit, entre l'esprit et l'absolu, la vie parvient à l'immatériel. C'est à cette époque qu'il commence à réaliser des *Monogolds* et des *Monopinks*, parallèlement à ses *Monochromes bleus*, et à s'intéresser aux peintures de feu. À travers la trace des peintures de feu, Klein veut fixer la présence de l'absence, cette marque de la vie qui est énergie diffuse. Progressivement, il perfectionne sa méthode en introduisant d'autres techniques comme l'anthropométrie. Les modèles nus prennent une douche, puis viennent apposer l'empreinte de leur corps humide sur le carton sec. Lors de la combustion, la trace invisible du corps se manifeste, comme dans F 80, *Peinture de feu sans titre* (1961). Ainsi, même au-delà du feu, l'artiste atteint l'immatériel, cette réalité absolue, cette énergie infinie et universelle.

"Yves Klein. Corps, couleur, immatériel" du 5 octobre 2006 au 5 février 2007, au Centre Pompidou (galerie 1, niveau 6), tél. 01 44 78 12 33. www.centrepompidou.fr
Catalogue, éditions du Centre Pompidou, 304 p. 39,90 €.
L'exposition sera présentée au Museum Moderner Kunst Stiftung Ludwig, à Vienne, du 9 mars au 3 juin 2007.

Entretien avec Rotraut Klein-Moquay la femme d'Yves Klein

En 1957, la jeune artiste allemande Rotraut Uecker rencontra Yves Klein, qu'elle épousa cinq ans plus tard. De ces années, elle conserve le souvenir de l'artiste spirituel dont elle admire les œuvres, et de l'homme sincère et attentif avec qui elle a vécu. Elle revient sur l'incompréhension que suscitaient ses œuvres et sur son implication totale dans la création.
Propos recueillis par Elsa Valtat.

L'exposition du Centre Pompidou entend proposer une relecture de l'œuvre d'Yves Klein. Comment avez-vous participé à cette relecture ?
Ce sont surtout les archives, dont mon mari Daniel Moquay s'occupe actuellement, qui ont apporté une nouvelle matière d'étude. Yves Klein a bien documenté ce qu'il faisait et l'essentiel de ces documents – écrits, films, photographies – est conservé dans ces archives, avenue du Maine à Paris. Une partie a été prêtée pour l'exposition. Yves écrivait beaucoup. Des extraits de ses textes sont reproduits sur les murs de l'exposition et ponctuent la visite.

L'œuvre d'Yves Klein a parfois été mal comprise, comme en témoigne l'épisode du festival de Cannes en 1962, où est présenté un film superficiel sur son travail. Comment réagissait-il à ces mésinterprétations de son œuvre ?
Il a été très choqué lors de la projection à Cannes du film *Mondo Cane*. Ce n'était pas, comme le lui avait promis le réalisateur, un documentaire qui permettait de comprendre la véritable signification de ses *Anthropométries*. Le film s'arrêtait sur les aspects les plus spectaculaires et portait un regard ironique sur son travail. Yves s'est senti trahi. C'était pour lui

"Il voulait avancer, aller ailleurs, plus loin, et non répéter des choses qui avaient déjà été tellement bien exprimées"

Ex-voto dédié à sainte Rita de Cascia par Yves Klein, 1961. Pigment pur, feuilles d'or, lingots d'or et manuscrit dans plexiglas, 21 x 14 x 3,20 cm. Cascia, monastère de Sainte-Rita. © ADAGP 2006.

À droite. Une nonne du monastère de Cascia présentant l'ex-voto à sainte Rita remis par Yves Klein en 1961. Photo David Bordes, 1999. © Yves Klein / ADAGP 2006.

un combat permanent et difficile que d'amener le public à saisir l'essentiel de ce qu'il voulait montrer. On ne s'est jamais demandé pourquoi Yves avait fait des démonstrations publiques avec des modèles ; pourtant, il avait bien insisté : il voulait montrer que rien n'était anormal, pornographique, dans son œuvre, que tout était purement esthétique. Mais les gens salissent parfois les choses ; ils ne peuvent croire à quelque chose d'aussi pur. Les critiques ont toujours contourné la vérité. C'est dommage.

Yves Klein était déjà célèbre quand vous avez fait sa connaissance en 1957. Quelle image aviez-vous alors de l'artiste et de son œuvre ?
J'ai vu pour la première fois l'un de ses monochromes en Allemagne. J'ai été très séduite par cette surface bleue, qui m'a transportée dans une sorte de rêve. J'imaginais alors l'artiste comme un vieux monsieur, un sage, avec une très grande spiritualité. Quand j'ai rencontré Yves, j'étais très jeune, j'ai été frappée : c'était un jeune homme, beau, très sportif, il me faisait la cour, il était comme un soleil. Il n'essayait pas de faire l'artiste ; il était très naturel, toujours simplement habillé. En le voyant peindre, j'ai retrouvé en lui le sérieux, une sincérité et une spiritualité que je connaissais bien par mon frère, lui aussi artiste.

Sa vie était aussi son œuvre ; il était perpétuellement engagé dans la création, comme en témoigne la cérémonie de votre mariage en 1962 à l'église Saint-Nicolas-des-Champs à Paris. Pouvez-vous nous en parler ?
La mise en scène rappelait la manière dont on mariait un roi et une reine. Il en avait demandé la

permission au pape, ce qui était une démarche toute faite de sincérité. Les chevaliers de l'ordre de Saint-Sébastien, auquel il appartenait, étaient présents. Il était très fier de porter leur uniforme et d'appartenir à cette communauté. Ils les avait rencontrés à l'une de ses expositions, et l'un d'eux lui avait dit que les trois couleurs qu'il utilisait – le bleu, le rose et le jaune à l'époque, qui est devenu or – correspondaient à leur spiritualité et les touchait beaucoup. Il avait aussi trouvé une couronne en or qu'il avait peinte en bleu. J'étais sa reine.

Vous parliez de spiritualité à propos des chevaliers de Saint-Sébastien. On la retrouve dans l'ex-voto à sainte Rita, qui sera exposé pour la première fois hors du monastère de Cascia, auquel il était destiné. Pourriez-vous nous parler de cette œuvre ?
Depuis sa plus tendre enfance, Yves adressait des prières à sainte Rita. J'étais avec lui à Nice lorsqu'il a réalisé cet ex-voto, peu de temps avant sa mort. Il avait écrit un tas de prières sur des petites cartes, qu'il avait glissées dans une boîte en plexiglas, avec de l'or, du rose et du bleu en pigment. À l'époque, cette œuvre lui avait coûté très cher, mais il y tenait. Nous l'avons portée au monastère de Sainte-Rita à Cascia, en Italie. Suite à un tremblement de terre en 1981, l'architecte chargé des restaurations a demandé à l'une des sœurs s'il y avait de l'or quelque part dans le monastère. Elle est arrivée avec l'ex-voto en disant : "il y a des feuilles et des lingots d'or dans cette boîte". C'est de cette manière que son existence a été révélée.

Vous avez été le modèle d'Yves Klein en février 1960 pour la réalisation d'une *Anthropométrie* dans l'appartement de la rue Campagne Première. Quel rôle avez-vous joué, de manière générale, auprès de lui ? Le conseilliez-vous ?

On ne peut pas dire que j'ai joué un rôle de conseillère. J'étais tellement admirative ! J'étais ravie de lui être utile en toute chose. J'ai quelquefois organisé des repas pour qu'il puisse inviter des artistes ou des amis à voir les œuvres qu'il avait faites dans la journée. Il les punaisait au mur et aimait en discuter avec eux. J'ai essayé de faciliter un peu sa vie en l'assistant, en l'aidant à préparer ses panneaux…

Avait-il des plages horaires réservées au travail ou travaillait-il en permanence ?

Il travaillait tout le temps, se levait parfois la nuit pour écrire. Le matin, il partait prendre son café et lisait le journal au Sélect, et allait probablement aussi faire une petite méditation à l'église toute proche, puis il revenait et travaillait. J'ai beaucoup posé pour lui à la maison, quand il n'avait pas de modèle ; j'étais ravie de pouvoir le faire, j'étais fascinée. C'était tellement magique de voir le corps apparaître ! Cette empreinte directe exprime parfois beaucoup plus qu'un portrait peint par un artiste figuratif ; on sentait son état d'âme à travers elle.

Se sentait-il investi d'une mission ?

Quelque chose le poussait : une force qui l'incitait à chercher ce qu'il avait à transmettre.

Ses parents étaient artistes. Le fait d'avoir baigné dans cet univers l'a-t-il influencé ?

Rue d'Assas, où il vivait avec sa famille, on peignait, on mangeait, on dormait dans la même pièce. Des artistes,

amis de ses parents, venaient pour échanger leurs idées. Il est évident qu'il a complètement digéré cela. Il comprenait très bien la peinture classique et la leur, mais il ne voulait pas aller dans cette direction. Il voulait avancer, aller ailleurs, plus loin, et non répéter des choses qui avaient déjà été tellement bien exprimées.

Utilisez-vous l'IKB ou est-ce pour vous une couleur interdite ?

J'ai souvent préparé ce bleu pour Yves. C'était extraordinaire. En remuant cette peinture veloutée, quelque chose me pénétrait dans la peau ; on l'appliquait ensuite sur notre corps. Je n'ai jamais utilisé ce bleu, contrairement à d'autres artistes. Un jour, chez Adam, le marchand de peinture de Montparnasse, j'ai découvert le bleu outre-mer acrylique Flash de chez Lefranc. J'y ai retrouvé cet aspect de velours dans le style de la peinture de Klein. J'ai commencé à l'utiliser pour faire des tableaux que j'ai appelés *Mémoires bleues*. Le bleu me manquait terriblement, je l'avais complètement exclu parce que je le trouvais sacré. L'œuvre d'Yves Klein atteint une autre dimension ; on ne peut exprimer par des mots ce que l'on ressent. L'immatériel est son domaine.

L'*Anthropométrie de l'époque bleue*, à la galerie internationale d'art contemporain, à Paris, le 9 mars 1960. © Yves Klein / ADAGP 2006.

Ci-dessous. *Anthropométrie de l'époque bleue*, 1960. Pigment pur et résine synthétique, sur papier marouflé sur toile, 156,5 x 282,5 cm. Paris, musée national d'Art moderne. Photo Adam Rzepka, Centre Pompidou. © ADAGP 2006.

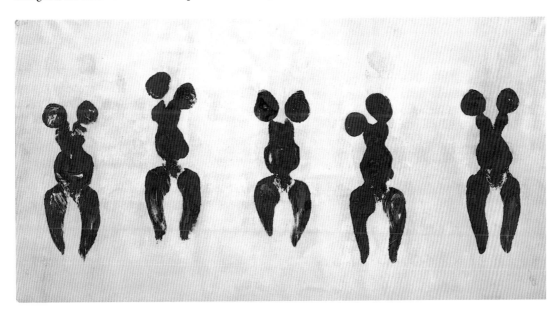

Nicolas-Henri Jacob

dessinateur et lithographe

Membre méconnu d'une célèbre famille d'ébénistes de l'Empire, Nicolas-Henri Jacob (1785-1871) s'illustra non pas dans le mobilier, mais dans le dessin et la lithographie. Curieux des innovations de son temps et de leurs applications, il porta une attention particulière à la figure humaine, réalisant portraits et dessins d'anatomie. Seule intrusion dans le domaine des arts décoratifs, le modèle qu'il fournit pour le mobilier en cristal de la duchesse de Berry révèle la variété de ses talents. Par Sébastien Boudry.

Issu de la célèbre dynastie d'ébénistes, Nicolas-Henri Jacob est le plus méconnu de ses membres, sans doute parce que le choix original de se porter vers le dessin et la lithographie donna une orientation très différente à sa carrière. Dessinateur de talent, ancien élève de David, il s'intéressa toujours au progrès des sciences et des techniques. Suiveur du prince Eugène et de son armée en Italie, il s'orienta vers l'étude du dessin d'anatomie et de maréchalerie vétérinaire. Très tôt, il comprit l'importance de l'invention de la lithographie en 1796 par Aloys Senefelder, pour la diffusion de l'image et l'édition. Nicolas-Henri réalisa, en 1819, une composition pour le supplément à *L'Instruction pratique de la lithographie* par Senefelder. Un portrait de Senefelder, lithographie de Nicolas-Henri d'après Neumayer (1796-1845), est conservé à la Dibner Library of Science and Technology (Norwalk, Connecticut). En matière d'arts décoratifs, Nicolas-Henri s'est rattaché à l'illustre tradition familiale, en réalisant le modèle du novateur mobilier de cristal de la duchesse de Berry conservé au Louvre. Le *Traité d'anatomie* auquel il consacra la fin de sa vie témoigne, enfin, de sa volonté de placer les techniques du dessin et de la lithographie au rang d'art de l'illustration scientifique.

Un membre méconnu d'une célèbre famille

Nicolas-Henri était le fils de Henri Jacob (1753-1824), menuisier en sièges et ébéniste dont la carrière est très liée à celle de Georges Jacob, son cousin germain, chez lequel il fit son apprentissage. Henri Jacob, reçu maître le 29 septembre 1779, épousa l'année suivante Antoinette-Charlotte Prudhomme, fille du maître peintre Nicolas Prudhomme et de Françoise-Geneviève Ruelle, demeurant rue aux Fèves, paroisse Saint-Pierre-des-Arcis. Le contrat de mariage fut signé le 16 août 1780, en présence des parents et amis des futurs époux. Pierre Jacob, frère de Henri, menuisier, ainsi que Marie-Anne et Anne Jacob, ses sœurs, assistaient

En haut. Nicolas-Henri Jacob, *Portrait de Henri Jacob*. Mine de plomb, 18,5 x 15 cm. Paris, musée des Arts décoratifs. © Les Arts Décoratifs / Jean Tholance.

Page de droite. Nicolas-Henri Jacob, *Loges musculaires, aponévroses, vaisseaux et nerfs du cou et de l'aisselle*. Lithographie publiée dans le *Traité complet de l'anatomie de l'homme*, par Jean-Marc Bourgery et Claude Bernard, réédition de 1866-1867 avec planches en couleurs (tome VI, planche 6). Paris, bibliothèque interuniversitaire de médecine. © BIUM.

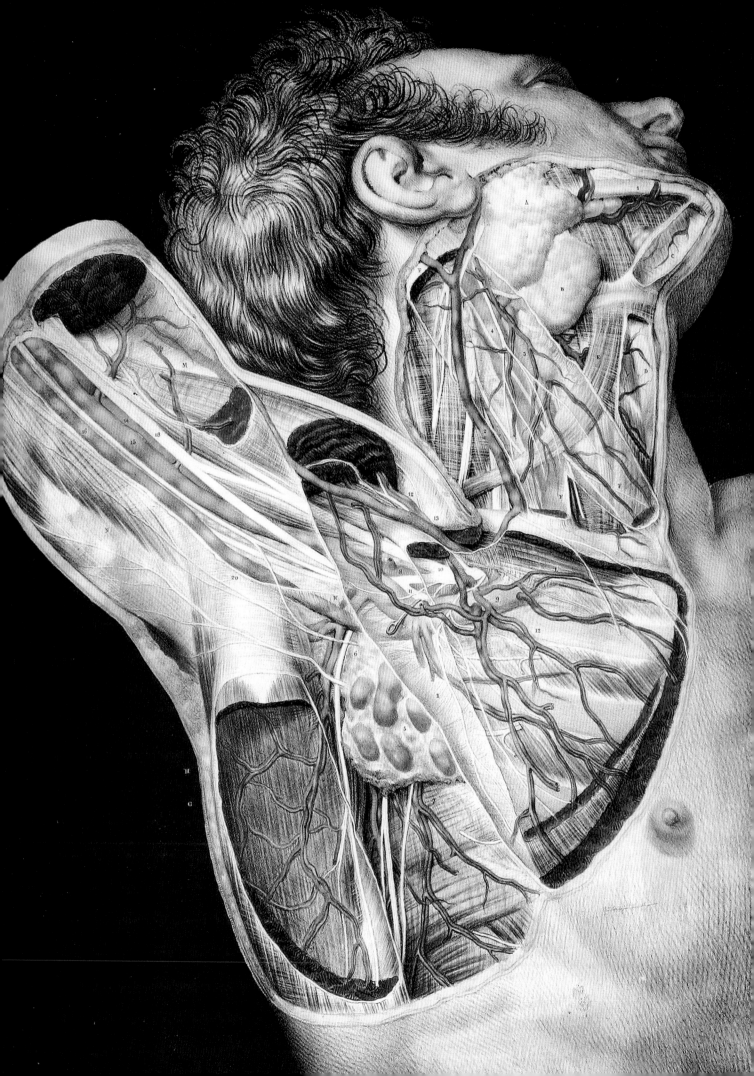

Nicolas-Henri Jacob, *Portrait d'Aloys Senefelder*, d'après Lorenz Neumayer. Lithographie. Norwalk (Connecticut), The Dibner Library of Science and Technology. © Courtesy of Smithsonian Institution Libraries, Washington.

Nicolas-Henri Jacob, *Portrait présumé de la princesse Joséphine de Leuchtenberg, future reine de Suède* (détail). Mine de plomb, 25 x 17,5 cm. Rueil-Malmaison, châteaux de Malmaison et de Bois-Préau. © RMN / Gérard Blot.

au mariage. "Georges Jacob m(aî)tre menuisier à Paris cousin germain" était bien sûr lui aussi présent, accompagné de Jeanne Germaine Loyer, son épouse. Les biens des futurs époux étaient nettement supérieurs à ceux de la plupart des artisans parisiens de la fin du XVIIIe siècle (14 216 livres pour Henri et 7 450 livres pour Antoinette-Charlotte). De ce mariage devaient naître cinq enfants. Françoise-Antoinette, sans doute née en 1781, épousa en 1803 Joseph-Désiré Martican. Marie Anne Eléonore épousa le 18 janvier 1819 Jacques Aumont. Marie-Adélaïde resta auprès de sa mère, l'assistant dans son métier de lingère, après le divorce de ses parents. François-Alexandre devait être le plus jeune des enfants. Quant à Nicolas-Henri, il naquit le 6 juin 1782 à Paris.

L'atelier de David et la famille Beauharnais

L'environnement familial permit à Nicolas-Henri Jacob d'être admis dans les milieux artistiques proches du pouvoir. Il étudia le dessin dans l'atelier du peintre David, sans doute placé par Georges Jacob, très lié au peintre – il réalisa plusieurs sièges à partir de ses dessins d'atelier, dont la chaise longue (maison de Chateaubriand à La Vallée-aux-Loups) du célèbre portrait de Madame Récamier par David (Louvre).

La fréquentation de l'atelier de David rapprocha Nicolas-Henri du pouvoir. La rencontre avec Eugène de Beauharnais fut déterminante et lui permit de lancer sa carrière. Henri Jacob était lui-même assez proche de la famille Beauharnais, puisqu'il était l'auteur de nombreux sièges néogothiques réalisés sous le Consulat, dans les dernières années d'activité de

son atelier, sans doute pour Hortense ou son proche entourage. Les *Mémoires d'une femme de qualité sous le Consulat et l'Empire*, derrière lesquels s'était à peine cachée Madame du Cayla, nous apprennent que "ce fut au reste Hortense qui mit à la mode le gothique (…). Cette princesse, par une manie particulière, voulut que les meubles de son appartement rappelassent, dans leur forme, ceux des siècles passés, et que les tableaux, qu'on y plaçait dans des

Nicolas-Henri Jacob, *Le Génie de la lithographie*, 1819. Dessin publié dans le supplément de *L'Instruction pratique de la lithographie*, par Aloys Senefelder. Paris, Bibliothèque nationale de France. © BnF.

cadres de forme antique, représentassent des traits de notre ancienne histoire". L'auteur souligne d'ailleurs que "le caprice d'Hortense", mode venue d'Angleterre et suivie tardivement en France, "n'a pas porté ses fruits sous l'Empire".

Nicolas-Henri a laissé de nombreux portraits, dessins ou lithographies des membres de la famille Bonaparte, notamment le *Portrait présumé de la princesse Joséphine de Leuchtenberg, future reine de Suède* (dessin, Malmaison) ou un *Portrait du prince Camille Borghèse* (dessin, vendu à Fontainebleau, le 6 février 2004, lot n° 571). En 1805, nommé dessinateur officiel du prince Eugène, Nicolas-Henri le suivit en Italie.

La découverte du dessin d'anatomie

Dans le sillage du vice-roi d'Italie, habitué des milieux militaires et de la cavalerie, Nicolas-Henri découvrit le dessin de maréchalerie vétérinaire à l'École vétérinaire de Milan. Avec Georges Abel, il dessina, d'après nature, les 110 planches gravées par Bougon et devant illustrer le *Cours théorique et pratique de maréchalerie vétérinaire, à l'usage des écoles vétérinaires, des maréchaux, des corps de cavalerie, des écuyers, des maîtres de poste, des cultivateurs et de toutes les personnes qui ont des animaux susceptibles d'être ferrés*. François Jauze, auteur de ce traité paru en 1818, vétérinaire et professeur de jurisprudence et de maréchalerie, dut faciliter à Nicolas-Henri l'accès à la chaire de professeur d'anatomie de l'École vétérinaire de Maisons-Alfort. Ils s'étaient vraisemblablement rencontrés en Italie, où Jauze avait exercé comme professeur de chirurgie et de ferrure à l'École d'économie rurale vétérinaire de Milan.

De retour à Paris, Nicolas-Henri participa donc au concours destiné à choisir un professeur d'anatomie pour l'École vétérinaire d'Alfort. Il remporta les épreuves qui se tenaient à Alfort et au Jardin des Plantes les 6, 22 et 24 novembre 1819. Durant une visite à l'École vétérinaire, le duc d'Angoulême s'était en effet étonné que la chaire de professeur de dessin d'anatomie fût restée vacante depuis le départ de son dernier titulaire. À la demande du prince, Louis XVIII avait consenti à ce que fut nommé un professeur spécial, ce qui fut confirmé par décision ministérielle du 26 août 1819. L'exercice du métier de professeur ne semble pas avoir été une nouveauté pour Nicolas-Henri Jacob. Il avait déjà dû participer à la création par son père, durant le Consulat, d'une école pour le progrès des arts et l'instruction de la jeunesse. Dans la maison que Henri avait fait construire rue de l'Échiquier avaient été reçu trente apprentis, puis quarante enfants défavorisés en 1805, afin de leur apprendre son métier.

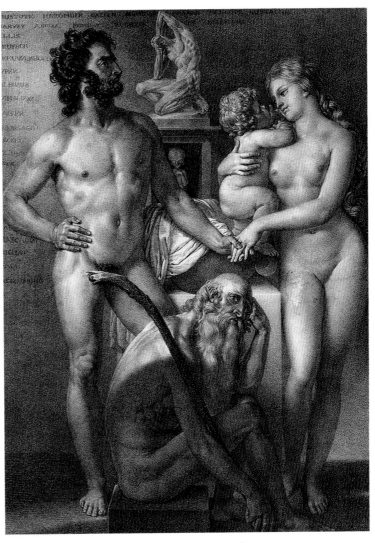

Nicolas-Henri Jacob, frontispice représentant *Les Trois Âges de l'homme et de la femme*. Lithographie publiée dans le *Traité complet de l'anatomie de l'homme*, par Jean-Marc Bourgery, 1832-1854. Paris, bibliothèque interuniversitaire de médecine. © BIUM.

La table de toilette de la duchesse de Berry

Malgré la cessation d'activité de son père et l'éloignement de ses cousins, Nicolas-Henri s'intéressa toujours à la création en matière de mobilier. Il est l'auteur du modèle original de la table et du fauteuil de toilette en cristal de la duchesse de Berry, conservés au Louvre. Ce modèle, outre la table de toilette et son fauteuil, comprenait un grand vase à l'antique et un guéridon. Nicolas-Henri laissa le dessin et la lithographie du projet à Arnout. Créés pour le magasin du Palais-Royal de Madame Desarnaud-Charpentier À l'Escalier de Cristal, ces meubles audacieux et novateurs reçurent une médaille d'or lors de l'Exposition des produits de l'industrie de 1819.

Fauteuil et table (page de droite) de toilette À l'Escalier de Cristal,
dessinés par Nicolas-Henri Jacob. Cristal, verre églomisé, bronze doré,
table H. 78,5 cm, L. 122,5 cm, P. 64,3 cm, fauteuil H. 90,8 cm, L. 64 cm, P. 56 cm.
Paris, musée du Louvre. © Éditions Faton / Jean-Yves et Nicolas Dubois.

Leurs formes et leurs ornements appartiennent au répertoire décoratif bien connu du goût Empire. Mais la volonté de les transposer en un matériau fragile jamais usité témoigne de l'esprit d'innovation de ses concepteurs. L'assemblage de plaques et de manchons en cristal taillé sur une armature en fer fut ensuite reprise jusqu'à la fin du XIXᵉ siècle. Un fauteuil, un tabouret et un guéridon furent notamment créés par Baccarat pour les Rothschild au château de Ferrières en 1883 (Paris, musée Baccarat).

Le *Traité d'anatomie* de Bourgery

De 1831 à 1854 parut le *Traité complet de l'anatomie de l'homme* en huit volumes par le Dʳ Jean-Baptiste-Marc Bourgery (1797-1849). Nicolas-Henri Jacob supervisa la lithographie des planches dont il réalisa la plupart des dessins d'après nature. Plusieurs dessinateurs le secondèrent, dont Charlotte Mast, sa jeune épouse née en 1817 et qui avait été son élève. Ce traité se voulait l'ouvrage le plus abouti en matière de description de l'anatomie humaine, de ses dysfonctionnements et de la manière de les corriger

par la chirurgie. Bien plus, il avait pour ambition de considérer l'anatomie philosophique ou rationnelle, c'est-à-dire "l'expression des lois qui président à la formation des êtres organisés", ainsi que "l'histoire des modifications que subit la forme animale sous l'influence des causes physiques et morales".

Bourgery prévient qu'il a veillé a ce que "toutes les parties d'un dessin étant également la représentation de l'œuvre de la nature (…) le modèle étant partout exact, la copie doit l'être aussi". Pour atteindre cette exactitude, on utilisa des procédés comme l'injection de plâtre dans les viscères creux, afin de leur donner "un aspect aussi proche que possible de leur état normal".

Après la mort de Bourgery, Nicolas-Henri, "professeur-dessinateur-anatomiste", dirigea, sous la caution scientifique et l'autorité de Claude Bernard, la seconde édition (1867-1871), avec des planches désormais en couleurs. Nicolas-Henri Jacob montre ici un véritable souci du détail afin de se rapprocher au plus près de la réalité anatomique. Mais le dessin de l'artiste conserve un sens de l'esthétique, ce qui est particulièrement perceptible dans les planches en noir. La planche 6 du tome VI représentant les *Loges musculaires, aponévroses, vaisseaux et nerfs du cou et de l'aisselle* montre le sujet dans une position qui conserve une certaine grâce. Le traité d'anatomie est aussi un travail humaniste, comme l'annonce au lecteur le frontispice de l'ouvrage composé par Nicolas-Henri, représentant l'homme et la femme aux trois âges de la vie. L'artiste admire le corps de l'homme pour sa perfection esthétique, l'anatomiste pour celle de l'ouvrage de la nature.

Remerciements
L'auteur adresse ses remerciements à Messieurs Jean-Dominique Augarde, Christian Baulez, Bill Pallot et Jean-Nérée Ronfort.

Sources et bibliographie
- Archives nationales, minutier central des notaires, VI/824 : mariage de Henri Jacob et d'Antoinette-Charlotte Prudhomme, le 16 août 1780.
- Archives de Paris, état civil parisien.
- Alcouffe (Daniel), *Le Mobilier du musée du Louvre*, Dijon, éditions Faton, 1994.
- Bourgery (Jean-Baptiste-Marc) et Jacob (Nicolas-Henri), *Traité complet de l'anatomie de l'homme*, Paris, 1832-1854 (Paris, bibliothèque interuniversitaire de médecine).
- Bourgery (Jean-Baptiste-Marc) et Jacob (Nicolas-Henri), avec le concours de Claude Bernard, *Traité complet de l'anatomie de l'homme*, seconde édition avec planches en couleurs, Paris, 1867-1871 (Paris, bibliothèque interuniversitaire de médecine).
- Bourgery (Jean-Baptiste-Marc) et Jacob (Nicolas-Henri), *Images de l'appareil génito-urinaire de l'homme et de la femme*, fac-similé présenté et annoté par Liliane Pariente, Paris, 1982 (BnF).
- Jauze (François), *Cours théorique et pratique de maréchalerie vétérinaire, à l'usage des écoles vétérinaires, des maréchaux, des corps de cavalerie, des écuyers, des maîtres de poste, des cultivateurs et de toutes les personnes qui ont des animaux susceptibles d'être ferrés*, Paris, 1818 (BnF).
- Ledoux-Lebard (Denise), "Henri Jacob, un menuisier ébéniste original", *L'Estampille/L'Objet d'Art* nº 289, mars 1995, p. 46-57.
- Ledoux-Lebard (Guy), "Un apogée du style consulaire. La décoration et l'ameublement de l'hôtel de Madame Récamier", *L'Estampille/L'Objet d'Art* nº 278, mars 1994, p. 64-89.

Henry Dasson
célèbre bronzier et ébéniste du XIXe siècle

Salué par la critique et récompensé à chaque exposition à laquelle il participa, Henry Dasson (1825-1896), fut l'un des plus célèbres ébénistes et bronziers de la seconde moitié du XIXe siècle. Son œuvre témoigne d'une prédilection pour la réinterprétation de styles et de chefs-d'œuvre anciens, Louis XVI en particulier. Ses meubles luxueusement ornés de bronzes, de marqueteries ou de panneaux de laque séduisirent une riche clientèle internationale, et sont aujourd'hui redécouverts par les amateurs du XIXe siècle. Par Camille Mestdagh.

Détail d'une table à écrire inspirée d'une œuvre d'Adam Weisweiler (Wallace Collection, inv. F319), 1893. Vente Londres, Christie's, 24 février 2000. © Christie's Images.

Henry Dasson est né à Paris le 10 mai 1825 [1]. Ses parents, Jean Baptiste Jasmin Dasson et Rose Stanislas Beaurain, vivaient au 17 rue des Marmousets ; son père, fils d'agriculteurs et originaire de l'Oise, était cordonnier. L'enfant grandit donc, en compagnie de ses deux sœurs, dans ce milieu de petits artisans et commerçants parisiens. L'une de ses sœurs, Joséphine Palmira (1818-1906), épousa Jacques Félix Hannet, doreur et argenteur, dont on peut supposer qu'il joua un rôle dans l'orientation de Henry ; il était d'ailleurs le témoin de son mariage le 27 juin 1854 à la mairie de Belleville avec Pauline Dusson, née à Paris, fille d'un bijoutier [2].

Les deux époux, qui ne possédaient aucune fortune personnelle, ne rédigèrent pas de contrat de mariage. De cette union naquit une fille unique, Eugénie, le 7 décembre 1858. Celle-ci se maria le 27 août 1877 avec Pierre Colliot de La Bussonnière, receveur contrôleur de l'enregistrement. Le contrat de mariage

Page de droite. Détail d'une console (d'une paire) en acajou inspirée du modèle de la table-console de Georges Jacob exécutée pour le cabinet turc du comte d'Artois à Versailles, 1888. Vente, Londres, Sotheby's, 15 mai 1998, lot 219. © By courtesy of Sotheby's Picture Library.

Ci-dessus. Table à piètement de cariatides représentant les Arts, sur le même modèle que celle *des Quatre Saisons*, présentée à la 6ᵉ exposition de l'Union centrale des beaux-arts appliqués à l'industrie : "Le Métal", en 1880. Photographie illustrant l'ouvrage de J.-B. Giraud, *Les Arts du Métal, recueil descriptif et raisonné des principaux objets ayant figuré à l'exposition de 1880 de l'Union centrale des beaux-arts*, Paris, A. Quantin, 1881 (pl. L). Paris, bibliothèque des Arts décoratifs. Photo Suzanne Nagy.

À droite. Bureau présenté à l'Exposition universelle internationale de 1889, exécuté d'après une composition de G. Maronnier. Photographies présentées dans le volume de planches édité par la Librairie des Arts Décoratifs : *L'Art décoratif à l'Exposition universelle de 1889*, 1890. Paris, bibliothèque Forney.

1. Archives de Paris, 5 MI 1/277.
2. Archives de Paris, D.6 J 541.
3. Nous rappelons qu'il s'agit du franc germinal, qui équivaut à partir de 1860 à 15,23 francs en 1999, soit un peu plus de 2,30 euros.
4. Judex, "Chronique du mois", *Revue des arts décoratifs*, tome XVI, n° 6, juin 1896, p. 199-200.
5. Laurent Stéphane, *L'art utile. Les écoles d'arts appliqués sous le Second Empire et la Troisième République*, Paris, L'Harmattan, 1998.
6. Archives de Paris, D31 U3 230/113.
7. Archives nationales, MC/ETUDE XXVIII/1224.
8. Archives nationales, MC/ ETUDE XCVIII/ 1187.
9. Correspondance avec le marquis de Peryaa 1886-1891. Archives privées Gérard Calvet.

montre que Henry Dasson apporta à sa fille une dot très importante de 70 000 francs [3], ce qui atteste sa réussite économique, mais ce mariage consacrait avant tout son ascension sociale puisqu'il lia sa fille à une famille de fonctionnaires issue de la noblesse.

Formation et débuts

D'après une notice nécrologique publiée dans la *Revue des arts décoratifs* [4], "il avait reçu du père Lequien de sérieux principes de dessins". Justin Marie Lequien, sculpteur, ancien prix de Rome et célèbre professeur de dessin, enseigna à l'école supérieure Turgot, aux cours d'adultes de la Ville de Paris et aux cours du soir de l'Association polytechnique [5]. Au moment de son mariage, Dasson se présenta comme horloger mais c'est seulement en 1858 qu'il apparut sous ce titre dans l'*Almanach du commerce* au n° 86 rue Saint-Louis au Marais. En 1865, il y est recensé en tant que fabricant de bronzes et ce n'est qu'en 1878, suite à sa participation à l'Exposition universelle, que l'on prit officiellement connaissance de ses talents d'ébéniste.

La carrière d'Henry Dasson, à la fois dessinateur, sculpteur, bronzier, puis ébéniste, témoigne de cette pluralité des savoir-faire caractéristique des grands artisans d'alors. La liberté acquise suite à la loi Le Chapelier en 1791 par l'abolition des corporations et de leurs régle-

mentations permit, au siècle suivant, la réalisation au sein d'un même atelier d'une œuvre dans sa totalité. Et nombreux sont ceux qui, comme lui, étaient à la fois bronzier, ébéniste et marchand, possédant un magasin attenant à l'atelier. Les grands artisans étaient devenus de véritables chefs d'entreprise.

Henry Dasson s'associa pour la première fois le 14 janvier 1862, avec Émile Godeau, "employé de commerce", afin de former une société pour la fabrication de "bronzes et d'horlogerie" [6], Dasson et Godeau, sise d'abord au 65 rue Saint-Louis au Marais, puis, à partir de 1865, au 10 rue de Malte ; elle ne dura en fait que cinq ans puisqu'en 1867 Henry Dasson s'établit seul comme bronzier au 14 bis rue des Minimes. Comme il le déclara plus tard, c'est alors qu'il reprit l'atelier du bronzier et ébéniste Carl Dreschsler, situé à cette même adresse, récupérant ainsi le fonds d'atelier du célèbre sculpteur et fondeur Charles Crozatier, décédé en 1855, et dont Dreschsler avait été l'élève et le successeur.

Comme le constate Denise Ledoux-Lebard, c'est ensuite l'acquisition du fonds de commerce de Charles-Guillaume Winckelsen (1812-1871), fabricant de meubles et de bronzes, qui marqua le départ de sa carrière de fabricant d'ameublement d'art [7]. Le 27 juillet 1871, Henry Dasson acquit ainsi principalement des modèles de garnitures de bronze de style Louis XVI, tels que des cariatides à l'antique et des ornementations de frises fleuries. Ce sont peut-être ces premiers modèles qui déterminèrent sa préférence pour le style Louis XVI marquant la majorité de sa production. Suite à ces deux acquisitions, son activité se développa considérablement, ce qui l'amena à s'établir au 106 rue Vieille-du-Temple.

L'atelier de la rue Vieille-du-Temple

À partir du 13 juillet 1876, Henry Dasson loua le rez-de-chaussée de l'hôtel particulier du 106 rue Vieille-du-Temple pour y installer ses magasins et son atelier de "fabricant de bronzes et d'objets d'art" [8]. Il se trouva ainsi au cœur du quartier jouxtant le faubourg Saint-Antoine, qui resta, tout au long du siècle, le lieu par excellence de l'activité de l'ébénisterie et du bronze.

Les relevés cadastraux donnent des précisions sur les lieux occupés par Henry Dasson : le rez-de-chaussée du corps de bâtiment de l'hôtel est situé entre cour et jardin ; dans ce jardin, un bâtiment "de 208 mètres carrés", destiné aux ateliers, ouvre sur la rue de Thorigny. L'établissement est d'abord composé de cinq magasins, certains constituant des lieux de stockage ; d'autres, certainement ceux situés dans le corps de logis et ouvrant sur la cour, sont des salons d'exposition. On trouvait également quelques bureaux et plusieurs ateliers.

Comme le précise Dasson lui-même dans le questionnaire d'admission à l'Exposition universelle de Paris en 1878, il disposait, dans le corps de bâtiment, d'un atelier de sculpture et de dessin, puis, dans l'autre édifice, d'un atelier de ciselure, d'un atelier de monture et d'un atelier réservé à l'ébénisterie.

Dans l'atelier de dessin, les modèles étaient composés ; quant à l'atelier de sculpture attenant, il était dédié au modelage des modèles et à la réalisation d'objets sculptés. L'établissement ne comprenait pas d'atelier destiné à la fonte du bronze ni à la dorure, qui étaient exécutées en sous-traitance dans des ateliers spécialisés. Une lettre d'Henry Dasson & Cie adressée à un client fait état d'une commande passée en 1886 où il est précisé que les bronzes sont "dorés au feu à l'or moulu"[9]. Pour l'ébénisterie, il déclare que l'atelier était livré en "bois de construction pour les meubles : chêne de France et bois des îles en bille ou en placage" et, concernant les marbres, qu'il choisissait les "matières dures des Vosges et orientales". S'il ne donne pas d'informations sur les machines utilisées dans son atelier, c'est qu'on s'y servait d'outils traditionnels ; l'emploi des machines et le morcellement du travail étaient du ressort de l'industrie du "meuble courant", produisant des meubles en série, dont le coût de fabrication était nettement inférieur à celui des meubles et objets d'art dits de luxe.

Collaborateurs et associés

Dans ce même questionnaire de 1878, Henry Dasson déclara employer "54 ouvriers à façon à l'intérieur et 47 à l'extérieur [épisodiquement]", et il ajouta : "Nota : ne sont pas compris dans ces nombres les ouvriers employés par mes divers fournisseurs tels que fondeurs, doreurs etc." Henry Dasson dirigeait donc un établissement d'importance. Son chiffre

Cabinet orné de panneaux en mosaïque de la manufacture de Péterhof, 1884. H. 148 cm, L. 72 cm, P. 40 cm. Saint-Pétersbourg, musée de l'Ermitage.
© The State Hermitage Museum.

d'affaires le confirme puisqu'il déclara : "affaires faites en 1875 et 1876 : 1 004 000 francs", ce qui est une somme considérable.

Nous connaissons les noms de quelques ouvriers de l'atelier, récompensés en tant que collaborateurs à l'Exposition universelle de Paris en 1878, notamment "A. Evrard" et "Dallier dit Goujon". Dans un article de la *Gazette des Beaux-Arts*, suite à cette même exposition, Dallier et Aubert sont présentés comme "ses sculpteurs ordinaires" et un certain "M. Boilvin" est aussi cité comme dessinateur de

la maison. Quant à A. Evrard, il devint son associé. À l'exposition de l'Union centrale des arts décoratifs (UCAD) de 1882, un certain "Vaillant", contremaître ébéniste de la maison, reçut une médaille de bronze. Le 22 mai 1883, Dasson s'associa à Alfred Auguste Evrard, fabricant de bronzes, et Pierre Georges Henri Maronnier, négociant, formant ainsi "une société en nom collectif" dont la raison sociale est Henry Dasson & Cⁱᵉ [10]. Il était indiqué dans le même contrat que "Monsieur Dasson apporte à la société une somme de sept cent cinquante mille francs à fournir par l'apport de son fonds de commerce de fabricant de bronzes et meubles".

La répartition du travail des associés est convenue ainsi : "la société sera gérée et administrée par les

Table à écrire inspirée d'une œuvre d'Adam Weisweiler (Wallace Collection, inv. F319), 1893. Acajou, porcelaine de Wedgwood, H. 72,5 cm, L. 75 cm, P. 46 cm. Vente Londres, Christie's, 24 février 2000. © Christie's Images.

trois associés conjointement. Monsieur Dasson ne sera pas tenu à un travail régulier mais seulement à la direction générale des affaires. Messieurs Evrard et Maronnier devront donner tout leur temps et tous leurs soins aux affaires de la société."

Henry Dasson, ayant près de 60 ans, estimait sans doute que son âge ne lui permettrait pas de remplir seul plus longtemps l'ensemble des tâches qu'il avait accomplies jusqu'alors. Il assuma donc la direction générale de la société et son rôle resta sans doute déterminant dans ses orientations, mais ce furent ses associés Evrard et Maronnier qui gérèrent directement les ateliers : Alfred Evrard en tant que bronzier et Pierre Maronnier en tant que dessinateur – il fut le créateur du mobilier présenté à l'Exposition universelle de 1889.

Parmi les collaborateurs de Henry Dasson & Cie récompensés à l'Exposition universelle de 1889 à Paris se trouvait le sculpteur Dallier. La société fut dissoute par effet rétroactif le 1er janvier 1894 suivant un acte du 5 avril 1894 [11] ; cette cessation d'activité fut suivie de trois ventes aux enchères publiques.

L'Exposition universelle de 1878 et la copie du bureau de Louis XV

C'est à l'Exposition universelle internationale de 1878, à Paris, qu'Henry Dasson rencontra son premier grand succès. Il exposa au sein de la classe 25 en tant que "fabricant de bronzes". Son emplacement se trouvait face à celui de Ferdinand Barbedienne et adossé au stand des frères Susse. M. G. Servant,

10. Archives nationales, MC/ETUDE LIX/786.
11. Archives de Paris, D.31U3 4180/352.

Ci-dessus. Copie du bureau de Louis XV, 1875, d'après Jean-François Oeben (1720-1763) et Jean-Henri Riesener (1734-1806), conservé au château de Versailles (inv. V 3750). Présentée à l'Exposition universelle internationale de 1878. Photographie illustrant l'ouvrage de Hans Bieder, *Le Bureau du roi Louis XV de France. L'histoire d'un des meubles les plus célèbres du monde*, Liestal, Grauwiller, 1970. Paris, bibliothèque des Arts décoratifs. Photo Suzanne Nagy.

À droite. Meuble à hauteur d'appui à ressaut central, 1878. Loupe d'Amboine et peinture en vernis Martin. Vente Paris, Drouot, Vincent Wapler, 4 juillet 1996, lot 599. D. R.

rapporteur, en dit : "L'exposition de M. Dasson appelle l'attention du jury par le grand air de son ensemble. Notre avis (…) est que M. Dasson eût été mieux à sa place dans la classe 17 [destinée au mobilier], où il aurait eu à lutter directement avec ses pairs, M.M. Fourdinois, Grohé, Beurdeley fils etc. Car dans les belles pièces qu'il nous soumet, le rôle du bois le dispute avec trop d'avantage au rôle du bronze."

En effet, ce fut par le biais de cette exposition qu'il s'affirma en tant qu'ébéniste à part entière. Son travail fut d'abord apprécié pour la qualité de son exécution qui, d'après les critiques, l'élevait au rang des grands artisans du XVIIIᵉ siècle.

La reconstitution du bureau de Louis XV, réalisé entre 1760 et 1769 par Jean-François Oeben et Jean-Henri Riesener, fut la curiosité de l'exposition. M. G. Servant souligna la qualité d'exécution du meuble et précisa que "les bronzes n'ont pas été surmoulés, mais bien copiés et modelés". Quant au chroniqueur de la *Gazette des Beaux-Arts*, il décrivit avec précision comment Henry Dasson avait pu parvenir à copier le fameux bureau, secondé par les sculpteurs Aubert et Dallier : "M. Barbet de Jouy [conservateur au musée du Louvre] l'avait autorisé à dessiner l'incomparable Bureau de louis XV – le plus beau meuble du monde (…) mais il n'avait pas voulu lui permettre d'en prendre aucun estampage (…) Cependant M. Dasson a tout vu, tout noté, tout compris ou tout deviné ; il a refait de toutes pièces le chef d'œuvre de Riesener." Le bureau présente exactement les mêmes compositions de marqueterie que sur l'original et les différents mécanismes d'ouver-

12. Archives UCAD, D1/15.
13. Archives nationales, LH/665/2.
14. Archives nationales, cartes et plans, F12 4055C/16.

ture et de transformation sont reproduits. Il est signé sur le panneau de l'Astronomie et de la Navigation : "Riesener inv. 1769. H. Dasson reproduct. 1875".

Une vingtaine d'années plus tôt, l'impératrice Eugénie avait rendu le bureau de Louis XV célèbre en l'installant dans son cabinet de travail à Saint-Cloud ; ce n'est qu'en 1870 qu'il entra au Louvre avant de revenir à Versailles en 1957. Le bureau du Roi était donc très à la mode et il n'est pas étonnant qu'il ait été copié par de nombreux ébénistes. La première copie semble avoir été commandée par lord Hertford (1802-1870) à la fin du Second Empire (Wallace Collection) ; Joseph Emmanuel Zwiener en réalisa également une copie en 1884 pour Louis II de Bavière (château d'Herrenchiemsee) et une seconde qu'il présenta à l'Exposition de 1889. À cette même occasion, Alfred-Emmanuel Beurdeley en fit lui aussi une copie et, plus tard, Jean-Henri Jansen et François Linke firent de même. Henry Dasson fut le premier à avoir exposé une telle copie, ce qui explique la surprise et l'admiration de ses contemporains devant une si grande qualité d'exécution.

À cette même exposition, il proposait aussi une copie de la cassolette de Gouthière réalisée pour le duc d'Aumont autour de 1775 d'après les dessins de Belanger et entrée dans la collection Wallace en 1865. Outre ces copies, il exposait des œuvres plus personnelles, d'inspiration Louis XVI, comme la table en bronze doré dite *des Quatre Saisons*, exécutée d'après les dessins de "M. Boilvin", recouverte d'une plaque de jaspe fleuri encadrée par des bandes de jaspe rouge et reposant sur quatre pieds cariatides. Ce piétement s'inspire de la table réalisée par Adam Weisweiler en 1784, commandée pour Versailles puis destinée à orner le cabinet intérieur de Marie-Antoinette à Saint-Cloud, aujourd'hui conservée au Louvre. On pouvait également admirer un petit secrétaire à cylindre orné de panneaux de laque du Japon et une cheminée en marbre bleu turquin dont les chambranles étaient ornés de deux figures de frileux sculptées en ronde-bosse en marbre blanc. L'ensemble était complété par des objets dits de fantaisie, tels que des flambeaux, des candélabres en bronze doré, des vases montés ;

il témoigne ainsi parfaitement de l'étendue et de la variété de sa production. Cette exposition consacra la renommée internationale de Henry Dasson qui se vit décerner la médaille d'or.

Les expositions de 1880 et 1883

En 1880, à la 6ᵉ exposition de l'Union centrale des beaux-arts appliqués à l'industrie dédiée aux arts du métal, Dasson fut présenté hors concours et chargé de la décoration du Salon du Président de la République, destiné à recevoir cet hôte de marque. Son exposition fut bien entendu très remarquée, notamment une table en bronze doré sommée d'un plateau en lapis-lazuli et composée de pieds caria-tides à figures allégoriques, chacune représentant un art : la sculpture, la poésie, la peinture et la musique. Trois ans plus tard, il participa à l'Exposition inter-nationale d'Amsterdam, au sein du pavillon de la commission française réalisé par l'UCAD, aux côtés d'Alfred Beurdeley, Henri Fourdinois, Damon et Cⁱᵉ, Christofle… Il y exposa notamment un guéridon de style Louis XVI surmonté d'un plateau en pierres dures, des bonheurs du jour à panneaux de laque ancienne du Japon et une paire de candélabres juchés sur des colonnes de marbre sculptées.

Sa présence dans ces manifestations s'explique par le fait que Dasson était membre fondateur de l'Union centrale et c'est d'ailleurs suite aux recom-mandations de son président que lui fut accordée la croix de Chevalier de l'ordre de la Légion d'Honneur en tant que "fabricant de bronzes d'art" (décret du 13 juillet 1883) [12]. Celle-ci lui fut remise le 18 août 1883 par Henri Charles Braquenié, célèbre fabricant de tapis et de tentures d'ameu-blement, également membre de l'UCAD [13].

L'Exposition universelle de 1889, apogée de Dasson

En 1889, Henry Dasson, au faîte de sa carrière, se présenta à l'Exposition universelle internationale de Paris. Il exposa au sein de la classe 17, réservée aux fabricants de "meubles à bon marché et meubles de luxe", donc en tant qu'ébéniste avant tout. Il fit même partie du comité d'installation de l'Exposition pour sa classe et bénéficia du plus grand emplacement, situé à droite de l'entrée, adossé à celui de la maison Jeanselme et Cⁱᵉ qui était située face à Beurdeley [14].

Le stand d'Henry Dasson & Cⁱᵉ est ainsi apprécié par le rapporteur du jury : "M. Dasson dont le crédit universel défie toute concurrence nous présente une exposition remarquable, dans laquelle les styles

Bonheur du jour en loupe d'Amboine, amarante et laque or sur bois. Archives photographiques Pierre Lécoules.

Ci-dessus. Meuble à hauteur d'appui présenté à l'Exposition universelle internationale de 1889, exécuté sur les dessins de G. Maronnier. Photographie illustrant l'étude de Victor Champier "Les industries d'art à l'Exposition universelle de 1889", supplément de la *Revue des arts décoratifs*, octobre 1889 (fascicule VI). Paris, bibliothèque Forney.

À droite. Billard commandé en 1877, anciennement conservé au château de Vaux-le-Vicomte. Ébène, bois noirci, marqueterie d'écaille et d'étain, table en marbre, 348 x 190 x 90 cm. D. R.

15. Archives nationales, LH/665/2.
16. Nous remercions Sir Hugh Roberts, directeur des collections royales, de nous avoir communiqué cette information.
17. Nous remercions M. Wilfried Ziesler, qui prépare un mémoire de 3ᵉ cycle à l'École du Louvre sur "L'objet d'art français en Russie au XIXᵉ siècle", de nous avoir signalé l'existence de cette œuvre.

Louis XIV, Louis XV et Louis XVI refleurissent avec éclat". Les visiteurs pouvaient y voir un bureau en bois satiné, réinterprétation nouvelle et libre du goût rocaille orné de bronzes dorés surprenants : aux chutes d'angle des pieds, des sphinges à tête de dragon et, soulignant la sinuosité des lignes du bureau, de belles feuilles d'acanthe et des coquilles tenant du style rocaille le plus gras. Dasson exposa en même temps un meuble à hauteur d'appui, tout aussi exubérant, de forme en arbalète et orné de bronzes puissants.

Ces deux œuvres sont les plus surprenantes que nous connaissions, élaborées du temps d'Henry Dasson & Cᵉ sur les dessins de Georges Maronnier. Elles sont le reflet de cette exubérance rococo caractéristique de la fin du XIXᵉ siècle, couramment associée aux œuvres contemporaines de Joseph Emmanuel Zwiener ou de François Linke, ainsi que de Louis Majorelle ou d'Émile Gallé ; on peut d'ailleurs considérer ce style rocaille outrancier comme annonciateur de l'Art nouveau.

Henry Dasson & Cᵉ se vit décerner pour "ses meubles de luxe" le Grand Prix de l'Exposition "au point de vue artistique". Suite à cette exposition, Dasson fut promu au grade d'Officier de l'ordre de la Légion d'Honneur en tant que "fabricant de meubles" (décret du 29 octobre 1889). Il reçut la décoration le 23 décembre 1889, toujours des mains d'Henri Braquenié [15].

Une riche clientèle férue de "néo-styles"

Dès le Second Empire, les grands collectionneurs de mobilier et d'objets d'art des XVIIᵉ et XVIIIᵉ siècles, grands bourgeois ou aristocrates étrangers, tel Lord Hertford, cherchèrent à compléter leurs ensembles par des œuvres modernes, dans le même style, et participèrent au succès des "néo-styles". L'engouement pour les œuvres de style des ateliers parisiens se propagea en Europe et en Amérique par les Expositions universelles, car le mobilier français avait su conserver ses qualités et son prestige. Ainsi, les commandes de copies de meubles royaux ou d'un mobilier inspiré des styles Louis XIV, Louis XV ou Louis XVI dominèrent véritablement les arts décoratifs français de la seconde moitié du XIXᵉ siècle.

À l'exposition de 1878, c'est Lady Ashburton, fille du premier duc de Bassano et épouse de Lord Ashburton, qui acquit la copie du bureau du Roi pour "90 000 francs", alors que la table *des Quatre Saisons* fut achetée par Lord Dudley. Une pendule datée 1886 est conservée dans les collections royales d'Angleterre, à la résidence de Sandringham ; elle aurait été acquise par Edward VII lorsqu'il était prince de Galles [16]. De même, on peut admirer au musée de l'Ermitage à Saint-Pétersbourg un cabinet daté 1884, orné de panneaux en mosaïque de la manufacture de Péterhof, et qui provient du palais Anitchkov, résidence du tsar Alexandre III et de Maria Federovna [17].

L'atelier fournissait aussi des personnalités françaises,

Paire de candélabres en girandole, 1882. H. 104 cm.
Vente Londres, Christie's, 1er octobre 2002, lot 208.
© Christie's Images.

mais il ne subsiste aucune trace de commandes officielles de l'État. Concernant les commandes privées, Pierre Arizzoli-Clémentel nous apprend que la comtesse de Biencourt, concevant elle-même son mobilier et ses objets, fit travailler Henry Dasson vers 1875-1880 [18]. Mais surtout, un billard longtemps exposé au château de Vaux-le-Vicomte lui fut commandé en 1877, pour le prix de "6 500 francs" par Alfred Sommier, propriétaire du château.

Une correspondance de 1886 entre Henry Dasson & Cie et le marquis espagnol Atares de Perijaa montre que l'aristocratie espagnole comptait, elle aussi, parmi sa clientèle [19]. La commande dont il est question concernait "21 100 francs" de bronzes et de meubles de style Louis XVI ornés de "bronzes ciselés et dorés au feu à l'or moulu" composant l'ameublement complet d'une salle à manger. Les prix énoncés sont considérables, tout comme l'était celui de la copie du bureau de Louis XV, ce qui explique qu'il réalisait ses œuvres principalement à la commande. La clientèle de Henry Dasson ne pouvait donc être composée que de personnalités très riches, aristocrates ou grands bourgeois.

18. Arizzoli-Clementel (Pierre), "À la recherche du temps perdu dans un rare salon fin de siècle", *L'Estampille/L'Objet d'Art* n° 250, septembre 1991, p. 84-93.
19. Archives privées Gérard Calvet.

La liquidation de l'entreprise

Faute sans doute d'un fils héritier, Henry Dasson n'a pas organisé sa succession et son œuvre s'éteignit avec lui. Après la cessation d'activités de la société Henry Dasson & Cie en 1894 eurent donc lieu les ventes aux enchères des modèles et de toutes les marchandises restantes. Ces ventes eurent le mérite de constituer un témoignage précieux tant sur l'œuvre que sur les modèles de Dasson, éléments fondamentaux dans l'artisanat du meuble et des objets d'art "néo-styles".

Il n'y eut en fait pas moins de trois ventes pour assurer la liquidation, les deux premières concernant les modèles. Celles-ci se tinrent du 9 au 12 et du 23 au 27 octobre 1894, 106 rue Vieille-du-Temple. Les catalogues ont pour titre : *Catalogue de modèles pour bronzes d'art meubles de style et grande décoration avec droit de reproduction provenant de la Maison H. DASSON et Cie Fabricants de bronzes et d'Ebénisterie d'art par suite de cessation de fabrication…* On y trouve un nombre considérable de modèles permettant de reproduire les œuvres des plus grandes collections, issus de pièces du Garde-Meuble conservées alors au Mobilier national, au Louvre, aux châteaux de Versailles, Fontainebleau et Chantilly ou dans de grandes collections : Double, Camondo, Stein, Hamilton et surtout Wallace. Certains modèles avaient peut-être été acquis lors de ventes aux enchères d'autres fabricants ; d'autres ont pu être réalisés par l'atelier d'après les œuvres elles-mêmes ou d'après des reproductions gravées.

Pour le mobilier, les modèles d'ébénisterie sont décrits dans ces catalogues comme des "plans d'exécution" et "dessins de marqueterie" alors que, pour les bronzes, il s'agissait de modèles en plâtre ou en bronze, parfois "fondu sur ancien". On pouvait aussi y trouver des modèles de compositions propres à l'atelier de Henry Dasson & Cie, dites "d'inspiration" des styles Louis XIV, Louis XV et Louis XVI, ou de véritables réinterprétations.

Au total, ces ventes comptèrent 1 292 lots, divisés en modèles pour sculptures et bronzes (statuaire, pendules, cartels, thermomètres, luminaires, vases…), majoritairement tirés d'œuvres de Boulle, Gouthière et Clodion, et en modèles pour ébénisterie, parmi lesquels on distingue les œuvres de Boulle, Gaudreaus, Cressent, BVRB, Riesener, Weisweiler et Carlin. Les modèles les plus prestigieux se vendirent entre 1 000 et 2 000 francs, les autres entre 500 et 1 000 francs. Les principaux acquéreurs furent les bronziers Baguès, Brodart, Guillaume

Paire de statues candélabres. 1884. H. 139 cm.
Vente Paris, Sotheby's, 5-6 décembre 2001, lot 454.
Photo archives Sotheby's.

Pendule de style Louis XV ornée de figures en bronze
à patine brune inspirées des œuvres de Clodion, 1881.
H. 75,5 cm, L. 78,7 cm, P. 25,3 cm. Vente Londres,
Christie's, 15 mai 1997, lot 173. © Christie's Images.

Denière, Hasard, Henri Houdebine, les frères
Raingo, Thiébaud et Vian, et les ébénistes Alfred
Beurdeley, Gervais Durand, Antoine Krieger,
François Linke, la maison Millet, Sormani fils et
Joseph Emmanuel Zwiener.

La troisième vente, consacrée au stock de meubles,
de bronzes et de marchandises de la société, se tint
du 10 au 12 décembre 1894. On pourrait s'étonner
que le catalogue présente peu de bronzes et de
meubles, mais n'oublions pas que l'atelier réalisait
ses œuvres, la plupart du temps, à la commande.
En revanche, il est intéressant de souligner l'étendue
du stock d'objets en laque ancienne du Japon et de
la Chine et de panneaux en vernis Martin, car Henry

Dasson a souvent orné ses meubles de ce type de
décor. De même y figure un important ensemble
de porcelaines de Chine, de plaques de Wedgwood
et d'objets sculptés en marbre précieux.

Ces ventes montrent que Henry Dasson était à la
tête d'une production volumineuse et très variée,
l'atelier étant capable à lui seul de fournir un
ameublement complet, comprenant non seulement
des meubles de luxe, mais aussi différents types
de bronzes et des œuvres sculptées.

Un "style" Dasson ?

Henry Dasson s'est toujours présenté comme bronzier avant tout et semble avoir, par conséquent,
choisi ou créé des modèles de meubles ornés d'une
importante garniture de bronzes. Pour les copies,
le choix des œuvres les plus fameuses du Garde-
Meuble royal et parmi les plus riches de l'histoire du

Paire de consoles en acajou inspirées du modèle de la table-console de Georges Jacob (1739-1814) exécutée pour le cabinet turc du comte d'Artois à Versailles et conservée au Louvre (inv. OA 5234), 1888. H. 90 cm, L. 80 cm, P. 35 cm. Vente, Londres, Sotheby's, 15 mai 1998, lot 219. © By courtesy of Sotheby's Picture Library.

mobilier, témoigne des prouesses techniques dont était capable son atelier. En dehors de son rival Alfred Beurdeley, peu de fabricants étaient capables de produire des œuvres d'une telle qualité d'exécution et d'une telle richesse.

On peut distinguer trois démarches dans la création de Henry Dasson : certaines œuvres ne sont pas à proprement parler des copies, mais restent très proches de modèles d'œuvres célèbres du XVIIIe siècle, souvent de Riesener, Weisweiler ou Carlin ; d'autres, comme ses bonheurs du jour, s'en éloignent en présentant une association originale de formules empruntées à ces différents ébénistes ; d'autres encore sont de libres réinterprétations des styles du passé, telle la paire de consoles aux sirènes. Dasson se fit aussi une spécialité des meubles à hauteur d'appui, ouvrant à un seul vantail, ornés d'un panneau en vernis Martin ou en laque, et présentant des ornements de bronze doré hérités des œuvres de Riesener ou de Weisweiler.

Tout comme ses œuvres d'ébénisterie, ses bronzes d'ameublement sont majoritairement inspirés du style Louis XVI et empruntent beaucoup aux œuvres de Pierre Gouthière. Son talent de bronzier s'affirme particulièrement dans les figures sculptées en rondebosse qui ornent notamment ses pendules. Il a donc su s'approprier non seulement les techniques de fabrication, mais aussi la manière des ébénistes ou des bronziers de la seconde moitié du XVIIIe siècle pour en constituer un mélange original.

Henry Dasson décéda le 20 mai 1896, à l'âge de 71 ans. Selon son dernier souhait, son buste en bronze fut sculpté par Dallier, son fidèle collaborateur, et surmonte sa tombe au Père Lachaise. Son inventaire après décès relève plus d'un million de francs de biens ; parti de rien, Dasson était donc à la tête d'une grande fortune qu'il devait à son talent. Malheureusement, n'ayant pas eu de successeur, Henry Dasson tomba vite dans l'oubli.

Camille Mestdagh poursuit ses travaux en doctorat, à l'université Paris IV-Sorbonne, sous la direction de Bruno Foucart et Thibaut Wolvesperges. Elle prie tout possesseur d'œuvres d'Henry Dasson de les lui signaler en vue de la préparation du catalogue.

Remerciements
L'auteur tient particulièrement à remercier le professeur Alain Mérot, qui l'a dirigée dans son travail de maîtrise, ainsi que M. Thibaut Wolvesperges qui, en plus, l'a encouragée et conseillée pour le présent article. Elle remercie également Mme Anne Dion-Tenenbaum, conservateur au département des Objets d'art du Louvre, Mme Marie-Madeleine Massé, chargée d'études documentaires à Orsay, M. Christopher Payne, historien d'art, M. le comte Patrice de Vogüé, propriétaire du château de Vaux-le-Vicomte, ainsi que M. Gérard Calvet et M. Pierre Lecoules, antiquaires, sans oublier Pierre Jean, son grand-père, pour ses précieux conseils.

Bibliographie
- Alcouffe (Daniel), Dion-Tenenbaum (Anne), Lefebvre (Amaury), *Le Mobilier du musée du Louvre*, Dijon, éditions Faton, 1993.
- Arizzoli-Clementel (Pierre), Meyer (Daniel), *Le Mobilier de Versailles, XVIIe et XVIIIe siècles*, Dijon, éditions Faton, 2002.
- Hugues (Peter), *The Wallace Collection catalogue of Furniture*, 1996.
- Ledoux-Lebard (Denise), *Le Mobilier du XIXe siècle, 1795-1889, dictionnaire des ébénistes et des menuisiers*, 2000.
- Payne (Christopher), *François Linke, the Belle Époque of French furniture*, 2003.
- Verlet (Pierre), *Les Bronzes dorés français du XVIIIe siècle*, 1987.
- Wolvesperges (Thibaut), *Les Meubles en laque*, 2000.

Le musée Jacquemart-André réorganisé
a rouvert en 1996. Ses meubles ont été restaurés
grâce à la générosité d'un groupe de mécènes.
Dans cet ouvrage, 62 meubles ou sièges, les plus rares
et les plus séduisants, font l'objet d'une étude historique
et stylistique. Les autres sont tous recensés dans
le catalogue complet des meubles du musée.
Nicolas Sainte Fare Garnot, conservateur en chef du musée,
a rédigé, outre l'historique et la présentation générale de
la collection, les textes relatifs aux meubles d'ébénisterie.
Bill G. B. Pallot, historien d'art qui fait autorité
pour les sièges français du XVIIIᵉ siècle,
a rédigé les textes relevant de ce domaine.

BILL G.B. PALLOT
NICOLAS SAINTE FARE GARNOT

Le mobilier français du musée Jacquemart-André

ÉDITIONS FATON
Mécénat DIDIER-AARON & Cⁱᵉ

260 pages au format 23 x 30 cm
Plus de 200 illustrations couleur
Relié pleine toile sous jaquette et coffret maître-relieur, 115 €
Rélié plein cuir sous coffret liseré cuir, 165 €

En vente sur commande accompagnée du règlement à Éditions FATON, BP 90, 21803 QUÉTIGNY cedex   www.faton.fr

Trois jours pour chiner au Quartier Drouot

Les 5, 6 et 7 octobre auront lieu les traditionnels Trois Jours du Quartier Drouot organisés par l'association Quartier Drouot, fondée en 1997 à l'initiative de quelques antiquaires soucieux de promouvoir ce lieu dédié au marché de l'art. Aujourd'hui, une centaine d'antiquaires, galeristes, commissaires-priseurs et experts sont réunis pour développer et dynamiser le quartier en attirant, outre les professionnels du négoce, nombre d'amateurs et de collectionneurs. Cette année, le thème est libre.

Le nouveau président de l'association, Alexis Bordes, est à la fois galeriste et expert en ventes publiques, spécialisé dans les œuvres sur papier et les tableaux anciens des écoles italiennes, françaises et du Nord. Présent dans le quartier depuis 1996, il a ouvert, il y a six ans, un bureau-galerie en étage, au 19 de la rue Drouot. Ayant l'habitude de présenter deux ou trois expositions thématiques par an dans sa galerie, cet antiquaire expose réguliè-rement au Salon du collectionneur à Paris et à la Foire des antiquaires de Belgique à Bruxelles. Cette année, pour sa partici-pation aux Trois Jours du Quartier Drouot, il présente une trentaine d'œuvres allant du XVIᵉ au début du XXᵉ siècle. Inaugurée le 15 septembre, alors que débutait la 23ᵉ Biennale des Antiquaires sous la ver-rière du Grand Palais, son exposition, qui s'accompagne d'un catalogue, s'achèvera le 20 octobre. Le siècle de Louis XIV est évoqué par une classique nature morte de fruits et d'orfèvrerie de Claude Huilliot (1632-1702). Pour le XVIIIᵉ siècle, on retiendra une étude à la sanguine du peintre provençal Michel François Dandré-Bardon (1700-1778), artiste reçu à l'Académie en 1735, où il exerça quelques années plus tard la fonction de professeur de peinture historique. Cette feuille est probablement une œuvre de jeunesse ; d'un traitement très libre en larges hachu-res, elle représente *Saint Jérôme en médi-tation dans une grotte.* Cependant, la plus grande partie des œuvres reproduites dans le catalogue concerne le XIXᵉ siècle comme les *Quatre études de têtes d'homme* à la plume, lavis et aquarelle sur trait de crayon noir, d'Isidore Alexandre Augustin Pils (1813-1875). Prix de Rome en 1838, Pils fut très en vogue sous Napoléon III. Il suivit les armées dans la campagne de Crimée, dont il rapporta des peintures d'un grand intérêt documentaire.

Isidore Alexandre Augustin Pils (1813-1875), Quatre études de têtes d'homme. Signé "Pils". Plume, lavis et aquarelle sur trait de crayon noir, 30,5 x 22,9 cm. Galerie Alexis Bordes.

Voyageant également en Afrique du Nord, il fit de nombreuses études d'Orientaux à l'aquarelle ou à l'huile.
Situé également rue Drouot, Frédérick Chanoit (qui a reçu le prix du Collectionneur 2005) est spécialisé dans

les tableaux des XIXᵉ et XXᵉ siècles, ainsi que dans la peinture orientaliste. À l'oc-casion des Trois Jours, il présente son expo-sition annuelle pour laquelle il a édité un catalogue, dans lequel figure une petite huile sur toile de Pierre-Paul-Léon Glaize

(1842-1932) représentant *Les Nuits de Pénélope* (signée et datée 1868). Une version plus importante de ce tableau a figuré au Salon de 1866. Fils du peintre Auguste Glaize, célèbre notamment pour sa participation à la décoration d'églises parisiennes sous le Second Empire, Léon Glaize entra dans l'atelier de Gérôme et obtint en 1866 le second Grand Prix de Rome. Peintre décorateur, il travailla pour le théâtre de Rouen, l'Hôtel de Ville de Paris, la Sorbonne et l'église Saint-Merri. Par la précision archéologique avec laquelle sont reconstitués les costumes et les décors, le tableau de la galerie Chanoit s'inscrit dans

l'esthétique néogrecque qui fut une des manifestations du courant néoclassique de la peinture française au XIXᵉ siècle. Dans un tout autre esprit, on s'arrêtera sur une charmante huile sur toile du peintre symboliste français Alphonse Osbert (1857-1939), intitulée *L'Étang solitaire.* Suivant l'enseignement de Lehmann, de Cormon et de Bonnat à l'École des beaux-arts, Osbert travailla d'abord dans une manière influencée par Ribera. Puis il découvrit l'art de Puvis de Chavannes et celui de Seurat, et se tourna vers un type de paysage silencieux et simplifié, aux tons éthérés de bleus et de mauves, souvent

Alphonse Osbert (1857-1939), L'Étang solitaire. Titrée, signée et datée. H/T, 46,5 x 61 cm. Galerie Frédérick Chanoit.

peuplé de figures féminines immobiles. Lié à Maurice Denis et au groupe des Nabis, il prit régulièrement part aux salons de la Rose-Croix. En 1896, il participa au Salon de l'Art nouveau chez Bing ainsi qu'à l'exposition des "Artistes de l'âme" au théâtre de la Bodinière à Paris.

Au 3 de la rue Rossini, on ne peut manquer la grande vitrine de Jean-François Collin et Jacques Delbos. Associés depuis une vingtaine d'années, ils sont spécialisés dans le "hors norme", selon les propres termes de Jean-François Collin, et proposent un vaste choix de sols anciens, cheminées, plaques en fonte des XVIIᵉ, XVIIIᵉ et XIXᵉ siècles, boiseries, portes et éléments de décoration, mobilier et statues de jardin... Sans se soucier d'une époque ou d'un style particulier, ils parcourent les routes de France, à la recherche de pièces spectaculaires pouvant intéresser aussi bien les particuliers que les décorateurs et les antiquaires. Parmi leurs dernières trouvailles, ils exposeront cette année une paire de lions debout en pierre du XVIIᵉ siècle, tenant dans leurs griffes un blason. Au même numéro se trouve la galerie Camille Bürgi, consacrée au mobilier et objets d'art des XVIIIᵉ et XIXᵉ siècles.

Maurice Taquoy (1878-1952), Scène d'hippodrome, années 1930. Aquarelle sur papier, 21 x 31 cm. Galerie Xavier Eeckhout.

Antiquaire à Paris depuis 1976, Camille Bürgi est un grand amateur du XVIIIᵉ siècle et il a participé à de nombreux salons internationaux. À l'occasion des Trois Jours du Quartier Drouot, il a choisi de montrer une suite de six fauteuils à la reine d'époque Louis XV, en bois laqué crème, rechampis de gris, à décor mouluré et sculpté de fleurs et feuillages stylisés. Ils sont recouverts de tapisseries de Beauvais, manufacture dont le peintre animalier Jean-Baptiste Oudry assura la direction de 1734 jusqu'à sa mort en 1755. Les six fauteuils de la galerie Bürgi évoquent les *Fables* de La Fontaine (*Le Renard et la*

Jean Giovannetti, Monument à Pierre Loti, 1938. Signée et datée. Esquisse en plâtre, 26 x 63 x 80 cm. Galerie Vincent Lécuyer.

Cigogne, Le Loup et le Chien, Le Lion et le Moucheron, Le Coq et le Renard…). Les dossiers des fauteuils sont décorés de scènes champêtres, de bergers, de scènes villageoise ou galante, d'épisodes de la vie quotidienne…

Un nouveau venu dans le quartier, Xavier Eeckhout (âgé de 33 ans) a ouvert il y a dix mois une petite surface rue de la Grange-Batelière, spécialisée dans les objets de curiosité, l'art animalier et la sculpture. Xavier Eeckhout a débuté sa carrière aux puces de Vanves tout en participant à quelques salons. Après avoir ouvert une première boutique rue Saint-Lazare, il s'est installé dans le quartier Drouot qui est, pour lui, un quartier extrêmement vivant : "Je connais bien ce quartier pour être très amateur de l'hôtel des ventes. Ici, tout est dédié à la marchandise, aux marchands avec un volume de transactions incomparable. Je suis également beaucoup en province pour chiner. Pour moi, je fais un métier d'acheteur, de découvreur d'objets…" Passionné par le cheval et la chasse, ce jeune antiquaire organise chaque année une exposition et, pour sa première participation, aux Trois Jours, il présente jusqu'au 21 octobre un ensemble d'une cinquantaine d'œuvres (eaux-fortes, dessins, aquarelles, gouaches, huiles sur toile) du peintre Maurice Taquoy (1878-1952) qui fut l'élève de Maurice Boutet de Monvel. La plupart des pièces montrées proviennent des descendants de l'artiste. Son art, bien qu'apprécié de quelques amateurs illustres tels Georges et Daniel Wildenstein, Marcel Boussac, le prince Murat, Élie de Rothschild, ou encore Émile Hermès, est aujourd'hui peu connu du grand public et apparaît rarement sur le marché de l'art. En 1993-1994, la maison

Lune surréaliste, entourage de Victor Brauner, vers 1930. Tôle peinte, H. 55 cm Cabinet des Curieux.

Hermès, pour laquelle il a fourni des dessins, a consacré à Taquoy une exposition itinérante à Paris puis aux États-Unis. Illustrateur pour *La Gazette du bon ton*, artiste élégant et dandy, il s'est attaché à peindre des scènes de la vie parisienne, des scènes de chasse et le monde des courses. L'exposition, qui est accompagnée d'un catalogue, montre notamment trois programmes de courses couverts de scènes à la gouache dans des couleurs vives, campant avec réalisme l'atmosphère régnant sur les hippodromes.

Vincent Guerre, installé depuis de nombreuses années rue de la Grange-Batelière, présente pour la dernière fois ses découvertes dans ce lieu, avant son emménagement dans son nouvel espace 20 rue Chauchat, en fond de cour. L'exposition qu'il propose a pour thème la lumière, et l'on retiendra une lampe moderniste de Louis Baugniet, artiste belge des années 1930, ainsi qu'une paire de miroirs dit *sorcière* (D. 68 cm).

Lampe de Louis Baugniet (1896-1995), années 1930. Métal nickelé, coupole laquée blanc., H. 33 cm. Galerie Vincent Guerre.

Antiquaire à la recherche d'objets insolites, plutôt axé sur le XXᵉ siècle, Vincent Guerre est aussi expert en cadres anciens et restaurateur de bois doré. Miroitier, spécialiste des glaces anciennes au mercure, il est actuellement en charge de la restauration des miroirs de la galerie des Glaces au château de Versailles.

Breton d'origine, Vincent Lécuyer est installé lui aussi rue de la Grange-Batelière depuis vingt ans, et c'est un membre actif de l'association du Quartier Drouot. Il achète et vend plutôt des tableaux et des sculptures du XVIIIᵉ au XXᵉ siècle, avec un penchant pour les courants symbolistes et néoréalistes, mais ses goûts sont éclec-

tiques et il s'intéresse également au thème du sport dans la peinture et bien sûr à sa Bretagne natale. Dans le choix des pièces retenues cette année, l'exotisme domine. On peut admirer entre autres une esquisse en plâtre pour un monument à Pierre Loti signée et datée 1938 sur la base, de Jean Giovannetti, artiste natif de Marseille. Il s'agit d'un projet non retenu, lors d'un concours organisé en 1938 par la Ville de Rochefort, dont le thème était "Pierre Loti en tenue d'officier rêveur". En ce qui concerne la peinture exotique, une huile d'Arthur Grimaud (1784-1869) campe le

Raymond Tellier (1897-1985), Vue du port du Rosmeur, vers 1930-1935. H/B, 38 x 46 cm. Galerie Enora.

Portrait d'un colon sur l'île Bourbon en 1848, année qui vit la proclamation de la République (l'île Bourbon reprenant le nom d'île de La Réunion) et surtout l'abolition de l'esclavage. Grimaud passa une grande partie de sa vie sur l'île Bourbon avant d'arriver en Europe, où il connut un certain succès en participant à diverses Expositions universelles à Paris et à Londres. Plusieurs de ses œuvres figurèrent à l'Exposition coloniale de 1931.
Si l'on arpente le passage Verdeau, galerie marchande au charme désuet, il faut s'arrêter au numéro 12 devant le Cabinet des Curieux. Magasin d'antiquités atypique mêlant divers styles et époques, à l'image des cabinets de curiosités de la Renaissance. Actuellement, un ensemble d'objets, sculptures, peintures et dessins évoquent la mélancolie, thème longuement étudié lors de l'exposition qui s'est tenue au Grand Palais l'hiver dernier. On peut y voir une araignée en bronze polychrome formant encrier (Vienne, vers 1880), une gouache représentant un écorché méditant – tournant le dos à la vie, il tient son crâne dans une main et son cerveau dans l'autre (école française, vers 1750) – ou encore une lune surréaliste, symbole de l'angoisse de la nuit, en métal peint.
Rue de Provence, il faut bien sûr s'arrêter chez Chabolle & Fontaine dont le goût éclectique et le renouvellement fréquent de l'accrochage réservent de bonnes sur-

Paul Aubin, La Terrasse, 1907. Signée et datée. H/T, 157 x 221 cm. Galerie Chabolle & Fontaine.

prises aux amateurs. Pour cette 9e édition des Trois Jours du Quartier Drouot, la galerie a réuni un ensemble de peintures des XIXe et XXe siècles (œuvres de Paul Aubin, Étienne Bouhot, Alexandre Cabanel, Ernest-Ange Duez, René Ménard). Parmi celles-ci, notre choix ira vers une grande huile sur toile intitulée *La Terrasse* (signée et datée 1907) à l'influence japonisante, de Paul Aubin, artiste mort prématurément, probablement pendant la guerre de 1914-1918.
Enfin, parmi les jeunes et dynamiques marchands installés récemment dans le quartier Drouot, citons la galerie Enora ouverte depuis un an, au 29 rue Bergère. Sa période de prédilection s'étend du XIXe au XXe siècle, en s'attachant plus particulièrement aux peintres des années 1850-1890 et 1900-1930. On peut y chiner des peintures de voyage, des marines et des œuvres régionalistes, telle cette pittoresque *Vue du port du Rosmeur*, dans la baie de Douarnenez, peinte par Raymond Tellier (1897-1985). La galerie Enora propose également des sculptures animalières, des objets et des petits meubles. **N. A.**

Les Trois Jours du Quartier Drouot : "Expression libre", du 5 au 7 octobre 2006, tél. 01 47 70 41 73. www.quartierdrouot.com

La FIAC retrouve le Grand Palais et investit le Louvre

Guy Limone, Babouches France – jaune, 2006. Emmanuel Perrotin.

© VISUAL.

Après la Biennale des Antiquaires, c'est au tour de la FIAC, longtemps installée au Grand Palais avant d'être exilée Porte de Versailles, de renouer avec la grande nef. Cette édition des retrouvailles propose aussi de prolonger la visite dans la Cour Carrée du Louvre, où d'autres stands seront installés.

Si les marchands installés sous la verrière du Grand Palais seront certainement heureux de retrouver – ou de découvrir – ce lieu prestigieux, ils seront peu nombreux à se réjouir. Normes de sécurité obligent, seule une centaine d'entre eux

À droite. Asger Jorn, Tête à claque, 1969. Jeanne-Bucher.
Ci-dessous. Louise Bourgeois, Sans Titre, 1954. Karsten Greve.

pourra y être admise. C'est pourquoi l'idée d'une prolongation dans la Cour Carrée du Louvre, soit à quelques pas du Grand Palais et dans le cœur même de Paris, a été retenue, afin d'y loger d'autres exposants et de ne pas limiter trop leur nombre. Il n'empêche : alors que l'édition 2005 de la FIAC accueillait Porte de Versailles 220 galeries, l'édition 2006 – la 33e – en accueillera 168. Une diminution qui suscite non seulement quelques mécontentements de la part de certains marchands, mais a aussi pour conséquence la création à Paris, aux mêmes dates, de deux nouveaux salons d'art contemporain (voir encadré p. 80). Le turn-over reste cependant assuré, les nouveaux participants étant cette année au nombre de 41.

Sur les 168 élus de cette année – dont

COURTESY GALERIE KARSTEN GREVE. © ADAGP 2006.

PHOTO JEAN-LOUIS LOSI. © ADAGP 2006.

COURTESY ANNELY JUDA FINE ART, LONDON.

David Hockney, Wheat Field near Fridaythorpe,
August, 2005. *Annely Juda.*

55 % d'étrangers –, 98 prendront place
au Grand Palais, et les 70 autres installe-
ront leurs cimaises sous une structure
transparente qui recouvrira le centre de la
Cour Carrée. Le premier lieu sera consacré
à l'art moderne et contemporain, tandis
que le second sera plutôt axé sur la création émergente ainsi que sur le design,
avec huit galeries spécialisées. Afin de faire
le lien entre les deux, le jardin des Tuileries
accueillera une vingtaine d'œuvres –
sculptures, installations – que pourront
découvrir ceux qui relieront les deux sites
à pied. Organisée dans le cadre du partenariat conclu entre la FIAC et le musée du

COURTESY IN SITU FABIENNE LECLERC, 2006.

Mark Dion, Archives. *In Situ.*

Louvre, cette partie en plein air dévoilera
des œuvres de Tony Cragg, Alain Bubblex,
Richard Long, Jean-Michel Othoniel ou
Bruno Peinado.

Peinture et sculpture modernes
L'art moderne reste l'un des pôles importants de la foire, et sera bien représenté
sur plusieurs stands du Grand Palais. On
trouvera notamment des œuvres de cette
période chez Jeanne-Bucher (Paris), qui a
choisi pour thème "Tête-à-tête. 50 figures
dans l'histoire de la galerie Jeanne-
Bucher". Sous ce titre sont rassemblées
des créations de Roger Bissière, Max
Ernst, Alberto Giacometti, André Masson
ou Asger Jorn. La galerie 1900-2000
(Paris) présentera une sélection d'assem-
blages et collages dus à André Breton,
Man Ray, Marcel Duchamp ou Oscar
Dominguez, aux côtés d'un accrochage
historique composé d'œuvres d'Arman,
Dalí, Picabia ou Tanguy. Chez le New-
Yorkais James Goodman, ce sont Arp,
Brancusi, Mirò, Rauschenberg ou
Wesselmann (*Study for Bedroom Foot,*
1979) que l'on rencontrera. Autre new-
yorkais d'importance, Leonard Hutton a
sélectionné des œuvres de Josef Albers,
Robert et Sonia Delaunay, Kasimir
Malevich, Kupka ou Jawlensky. Parmi les
grands marchands présents cette année

se distinguent aussi Karsten Greve (Paris),
chez qui l'on pourra acquérir une sculpture de Louise Bourgeois datée 1954,
Lelong (Paris), Gmurzynska (Cologne),
Landau Contemporary (Montréal) ou Jan
Krugier, Ditesheim & Cie (Genève), déjà
présent au Grand Palais lors de la Biennale
des Antiquaires avec un stand d'une qualité remarquable, et qui convoquera pour
la FIAC Barceló, Basquiat, Caro, Klee,
Picasso, Music, Soulages ou Szafran.

La création contemporaine
Comme elle en a pris l'habitude depuis
quelques éditions, la FIAC réserve une
place toute particulière aux jeunes galeries
françaises et étrangères qui ont choisi de
travailler avec des artistes contemporains,
et font notamment découvrir de nouveaux talents. D'importantes galeries
internationales seront aussi présentes, au
Grand Palais comme dans la Cour Carrée.
Parmi les Français, Emmanuel Perrotin
(Paris) exposera l'une de ses artistes
phares, Sophie Calle, aux côtés de
Bernard Frize ou Guy Limone, dont la
couleur favorite, le jaune, habille ses
Babouches France. Jérôme de Noirmont
(Paris) proposera un accrochage intitulé
"Signes et prodiges", composé d'œuvres
de Basquiat, Jeff Koons, Bettina Rheims, Yi
Zhou ou Fabrice Hyber. Daniel Templon
(Paris) mettra en valeur les œuvres de
Philippe Cognée, Robert Longo ou Frank

Ron Arad, Blo Voïd I, 2005. Down Town.

figurent Patrick Seguin (Paris), Down Town (Paris), Jousse Entreprise (Paris), également remarqués à la Biennale des Antiquaires. Ce dernier a composé un stand sur le thème du mobilier d'architectes du milieu du XXe siècle, avec des pièces de Charlotte Perriand, Matthieu Mategot, Serge Mouille ou Jean Prouvé. Une partie de son stand sera également dévolue au mobilier des années 1970, et une autre aux créateurs contemporains. On retrouvera Perriand, Mouille et Prouvé chez Down Town (Paris), qui montrera aussi du mobilier de Le Corbusier, de Pierre Jeanneret ou de Jean Royère, ainsi que plusieurs pièces de Ron Arad, dont *Blo Voïd I.* Chez Mouvements Modernes (Paris), les amateurs de design pourront acquérir des œuvres d'Elisabeth Garouste, Dan Friedman ou Ettore Sottsass, avec notamment un élégant bahut daté 1962. Cette 33e édition de la FIAC, entre Louvre et Grand Palais, est très attendue et ne devrait pas manquer d'attirer, dans des lieux plus prestigieux et plus accessibles, les collectionneurs du monde entier. Nul doute aussi que cette édition sera très observée et très commentée ; c'est l'avenir de la foire dans ces nouveaux lieux, et dans sa nouvelle formule, qui se joue cette année. **L. C.-G.**

FIAC 2006, du 26 au 29 octobre, au Grand Palais et dans la Cour Carrée du Louvre. Tél. 01 41 90 47 80. www.fiacparis.com

Stella. On pourra découvrir *Flea Market Lady* (1990-1991) de Duane Hanson sur le stand de Patrice Trigano (Paris), *Archives* de Mark Dion sur celui d'In Situ (Paris), ou *L'Étoile à une branche n° 3* (2003) de François Morellet chez Catherine Issert (Saint-Paul-de-Vence), aux côtés d'œuvres de Felice Varini, de Pier Paolo Calzolari ou de la vidéaste Anne Pesce. L'art contemporain sera également bien représenté par deux marchands espagnols, Distrito Cu4tro (Madrid), qui a notamment choisi d'exposer *Barrier (Tomb)* de Richard Deacon, et Estrany de la Mota (Barcelone), qui donnera à voir les créations de Pauline Fondevila, Douglas Gordon ou Thomas Ruff. La galerie new-yorkaise Gladstone défendra le médiatique Matthew Barney ainsi que Richard Prince, dont l'œuvre est de plus en plus apprécié des collectionneurs. Les amateurs de "stars" de l'art contemporain pourront également se rendre chez le Genevois Guy Bärtschi, où l'on trouvera Nan Goldin, Wim Delvoye et Jan Fabre, ou sur le stand d'Annely Juda (Londres) où seront présents Christo et Jeanne-Claude et David Hockney.

Le design au Louvre
La FIAC a ouvert ses portes au design en 2004 ; forte du succès rencontré par cette petite section, elle comptera cette année huit marchands spécialisés. Parmi eux

6ᵉ exposition d'Automne Rive Gauche
Pour la sixième année, les sept galeries du cercle Beaux-Arts Rive Gauche – installées dans le quartier des rues de Lille, de Verneuil, de l'Université et de Beaune, à Paris – proposent simultanément plusieurs expositions qui permettront de découvrir leurs dernières acquisitions en peinture, sculpture et dessin. Rue de Verneuil, Artesepia a sélectionné une aquarelle d'Abraham Louis Rodolphe Ducros,

un *Paysage montagneux avec des figures sur un pont enjambant un torrent*, tandis que Jacques Fischer présentera un portrait en médaillon d'Alphonse de Lamartine par Émilien de Nieuwerkerke. Rue de l'Université, on découvrira chez Simon Lhopiteau, aux côtés de sculptures du XIXᵉ siècle et parmi un choix de peintures et dessins des XVIIIᵉ et XIXᵉ, une feuille de Fedele Fischetti, *Allégorie de la Paix et de la Prospérité*, et chez Thierry Mercier une huile sur panneau de Georges Dantu, *Deux Chouettes* (photo ci-dessus). Les amateurs d'art moderne se rendront rue de Beaune, à la galerie Pétrouchka, pour admirer une aquarelle de Nikolaï Souiétine, *Suprématisme*, datée vers 1923-1925. **Expositions d'Automne Rive Gauche, du 18 octobre au 18 novembre. Tél. 01 42 96 29 21.**

Les Antiquaires de la Geôle en fête
Comme chaque année, les Antiquaires de la Geôle, à Versailles, organisent une fête d'automne. C'est l'occasion, pour les cinquante antiquaires et experts réunis dans ce quartier, de montrer leurs dernières trouvailles ou d'organiser des expositions. L'occasion aussi, cette année, de faire connaissance avec les nouveaux venus – huit en tout –, signes d'un certain dynamisme. Le thème retenu cette année est la musique. Au fil de la promenade, on pourra ainsi rencontrer une vaste sélection d'objets l'illustrant, d'une assiette de Nevers du XVIIIᵉ siècle représentant un joueur de flûte traversière à une feuille d'éventail d'époque Louis XIV figurant une danse villageoise (photo ci-dessus), de porcelaines de Meissen des XVIIIᵉ et XIXᵉ siècles représentant des musiciens et musiciennes, à un tableau de l'école orientaliste du XIXᵉ. **"Fête d'automne des Antiquaires de la Geôle et du Baillage" du 12 au 15 octobre, à Versailles. Tél. 01 39 53 30 48. www.antiques-versailles.com**

Les Puces de Saint-Ouen fêtent leurs 120 ans
Les Puces de Saint-Ouen célèbrent cette année leur 120ᵉ anniversaire et offrent à tous les chineurs l'occasion de redécouvrir leurs trésors durant un week-end. Sur les différents marchés qui composent ce vaste ensemble de 7 hectares, les marchands ont opéré une sélection d'"objets d'exception", pièces rares que l'on pourra exceptionnellement découvrir. Parmi celles-ci, une chaise de Bugatti dans le goût orientaliste (Chantal Antiquités), un choix de *vedute* de Naples (galerie Arsinoppia), la copie de l'armoire de Marie-Antoinette à Versailles (Versailles Antiques) ou encore un tête-à-tête de voyage de la manufacture de Meissen, réalisé fin XVIIIᵉ (Jacques Bitoun). Une grande variété, pour satisfaire la curiosité de tous les amateurs. **"Objets d'exception" du 7 au 9 octobre, aux Puces de Paris Saint-Ouen, tél. 0892 705 765. www.parispuces.com**

Joseph Rivière chez Martel-Greiner
Spécialiste des arts décoratifs et de la sculpture du XXᵉ siècle, la galerie Martel-Greiner s'intéresse cet automne à l'œuvre méconnu du sculpteur bordelais Joseph Rivière. Une quarantaine de pièces montre l'évolution de son art durant un peu plus de vingt ans, de 1938 à sa disparition en 1961. Rivière se fit une spécialité de la sculpture de figures (*Trois Bavardes*, 1946 ; *La Sève*, 1960, photo ci-dessus) et de nus (*Vénus à la coquille*, 1943 ; *L'Arbre de la Science*, 1960), comme le montre la sélection présentée. Mais l'artiste s'est aussi consacré à la réalisations de monuments publics, tels le monument commémoratif de Luxeuil-les-Bains (1954) ou le haut-relief du groupe scolaire de Benauge (1955). On remarque également quelques sculptures religieuses, Christs en croix épurés qui illustrent une autre facette de son art puissant, ancré dans les exemples classiques mais teinté de la modernité de son époque. **"Sculptures de Joseph Rivière (1912-1961)" du 3 au 21 octobre, à la galerie Martel-Greiner, 71 boulevard Raspail, 75006 Paris, tél. 01 45 48 13 05.**

Une belle étude de Pierre de Cortone

Étude de six jeunes femmes pour une allégorie en l'honneur du Collège romain et de la maison Borghèse. **Inscriptions "P.da Cortona" et "181". Craie blanche, plume et encre brune, lavis brun rehaussé de blanc, 22,5 x 23 cm.**
Vente Christie's, Londres, 4 juillet 2006.
Adjugée : £90,000 soit 129 330 €

Ce dessin est une étude préparatoire pour une gravure de Claude Mellan afin de célébrer le Collège romain et la famille Borghèse. Trois autres dessins préparatoires à cet ouvrage sont aujourd'hui connus. L'intérêt de cette feuille est la situation des personnages dans l'environnement architectural, celui de la villa Borghèse, qui fut celui de la gravure finale. Le sujet est assez obscur ; on peut néanmoins situer la Science, face à la Pitié, la Vertu et l'Étude. Pierre de Cortone (1596-1669), sans doute satisfait de cette esquisse, a cerné le contour des personnages avec un stylet afin de transférer le bon contour sur une autre feuille, sans doute celle conservée à Vienne, qui est la plus aboutie.

Belle scène mythologique de Gandolfi

Le Triomphe de Vénus.
Sanguine rehaussée de craie blanche, 32,5 x 38 cm.
Vente Sotheby's, Londres, 5 juillet 2006.
Adjugée : £96,000 soit 138 240 €

Les tableaux profanes sont assez rares chez cet artiste ; aussi cette belle feuille, première esquisse pour le tableau *Le Triomphe de Vénus*, compte-t-elle parmi les feuilles intéressantes du peintre. *Le Triomphe de Vénus* a comme pendant *Le Bain de Diane*. Outre les esquisses de ces œuvres, il existe des *bozzetti* très aboutis qui ont pu être identifiés. Gaetano Gandolfi (1734-1802) est non seulement connu pour ses œuvres picturales mais aussi pour ses dessins et ses gravures. Son succès lui permit de vendre des tableaux dans toute l'Europe jusqu'à Vienne et Moscou. Il fut l'un des plus importants représentants de l'école bolonaise du XVIIIe siècle et son influence marqua des peintres vénitiens tels que Ricci, Tiepolo et Pittoni.

Un rare dessin de Zuccarelli

Portrait d'un artiste, sans doute un autoportrait.
Lavis gris et brun rehaussé de blanc, 20,2 x 17,9 cm.
Vente Sotheby's, Londres, 5 juillet 2006.
Adjugé : £36,000 soit 51 840 €

Publiée comme une œuvre de Jacopo Amigoni en 1930, cette feuille est désormais attribuée à Francesco Zuccarelli (1702-1788), dont peu de dessins sont connus. Cette attribution a été proposée d'après un portrait de Zuccarelli peint par Richard Wilson en 1751 qui montre quelques ressemblances. Zuccarelli, s'il est toscan de naissance, est vénitien d'adoption. En effet, il fut aussi célèbre à Venise qu'à Londres, où il passa de nombreuses années. En 1768, il fit partie des membres fondateurs de la Royal Academy. Sa célébrité est liée à ses nombreux tableaux de paysages, où il fait preuve d'un certain goût pour une nature idyllique animée de scènes pastorales.

Un record pour une feuille de Guerchin
Étude d'un jeune homme tenant une draperie.
Sanguine, 27,4 x 22,1 cm.
Vente Sotheby's, Londres, 5 juillet 2006.
Adjugée : £142,400 soit 205 056 €

Datée des années 1630 par Sir Denis Mahon et Nicolas Turner, cette étude de jeune homme tenant une draperie est un des nombreux dessins que l'artiste a laissés. Ils furent très appréciés, aussi bien à son époque que dans les décennies suivantes. Aujourd'hui, qu'ils soient au crayon ou à la plume, on peut les admirer dans toutes les collections du monde, leur spontanéité étant certainement leur plus grande qualité. Cette feuille est déjà passée en vente publique, chez Sotheby's, à Londres et à New York en 1977 et en 1996, ce qui ne l'a pas empêchée d'atteindre le record mondial pour un dessin de l'artiste. À cette vente, un autre dessin de Giovanni Francesco Barbieri, appelé le Guerchin (1591-1666), *Le Christ couronné d'épines*, a doublé les estimations, ce qui prouve la bonne tenue des prix des dessins de Guerchin.

Un Raphaël de belle provenance
Tête de la Vierge, de trois quarts.
Sanguine, plume et encre brune, 10,2 x 8,1 cm.
Vente Christie's, Londres, 4 juillet 2006.
Adjugée : £54,000 soit 77 598 €

Issu de la célèbre collection du banquier Crozat, ce dessin est préparatoire au tableau de l'artiste conservé au Metropolitan. Il s'agit de l'esquisse du visage de la Vierge. Le tableau, daté 1505, fut exécuté par Raphaël (1483-1520), à l'époque où l'artiste était à Florence ; c'était une commande pour le maître-autel du couvent Saint-Antoine à Pérouse. On retrouve dans cette feuille la même inclinaison du visage et le même sourire que celui de la Vierge du Metropolitan, avec cette même expression, très directe et très personnelle. Le numéro 60 a sans doute été apposé sur la feuille au moment de la vente Crozat en 1741. C'est alors que ce dessin devint la propriété du comte Carl Gustav Tessin, ambassadeur de Suède à Paris entre 1739 et 1742, et grand collectionneur. Ce fut l'un des plus importants acheteurs des dessins de la collection Crozat.

Hoffmann d'après nature
Un chat. **Aquarelle, gouache sur vélin, 24 x 38,2 cm.**
Vente Christie's, Londres, 6 juillet 2006.
Adjugée : £904,000 soit 1 301 760 €

Cette aquarelle est un très bel exemple de la période de maturité de Hans Hoffmann (1545/1550-1591/1592) lorsqu'il revint à Nuremberg à partir de 1557. À cette époque, il exécutait de nombreuses copies et imitations d'œuvres de Dürer à l'attention de Hans Hieronymus Imhoff ainsi que pour d'autres collectionneurs ; quelquefois, la signature de Dürer y figure. Ce chat est certainement une création personnelle de l'artiste, sans doute exécutée d'après nature, tout en reprenant la tradition d'un dessin de Dürer conservé à l'Albertina de Vienne. Le pendant de cette feuille est *Un marcassin* daté 1578, qui fait aujourd'hui partie de la collection Jean Bonna. Les deux dessins furent exposés ensemble au British Museum, lors de l'exposition "Dürer" en 2002.

par Françoise Rouge

Un salon pour Stanislas Lesczynski

Très rare ensemble de salon à châssis Louis XV estampillé Bovo (sur quatre fauteuils). Bergère H. 95 cm, L. 77 cm, P. 87 cm ; fauteuil H. 93 cm, L. 66 cm, P. 60 cm. Vente Paris, Piasa, 28 juin 2006 ; expert Guillaume Dillée.
Adjugé : 295 724 €

L'estampille correspond à un menuisier parisien actif sous le règne de Louis XV et de Louis XVI. Pour certains auteurs, l'estampille "BOVO" pourrait correspondre soit à la marque d'un sculpteur, soit à celle d'un menuisier. D'autres l'attribuent à Léonard Beauvau que des documents d'archives signalent dans l'entourage de Nicolas Heurtaut. Ce dernier avait d'ailleurs obtenu la maîtrise de sculpteur et celle de menuisier en sièges, ce qui pourrait être le cas de ce mystérieux Bovo et expliquerait la qualité de sa production et l'originalité de la sculpture de certains de ses sièges. Quant à ce bel ensemble composé de quatre fauteuils à dossier plat à la reine et d'une paire de larges bergères, leurs proportions très équilibrées, la vigueur de leurs moulures et coups de fouet aux accotoirs, agrémentés de fleurettes et feuillages, ainsi que leur destination originelle pour meubler "la chambre du roi Stanislas Lesczynski", à l'occasion de son séjour dans le château d'où il provient directement, ont concouru à établir cette enchère remarquable.

Console demi-lune attribuée à Lignereux, Weisweiler et Thomire

92 x 149 x 48,5 cm. Vente Paris, Artcurial, 20 juin 2006 ; cabinet d'expertise Le Fuel et de L'Espée.
Adjugée : 219 289 €

Cette étonnante console en acajou, bois patiné et doré et plaques de Wedgwood en biscuit blanc à fond bleu représentant des allégories de l'Écriture, de l'Architecture et de scènes à l'antique, est caractéristique de la production de meubles précieux réalisés par le beau-père de Jacob-Desmalter, Martin Eloy Lignereux (1752-1809). Ce dernier fut associé jusqu'en 1793 au marchand-mercier Daguerre, fournisseur de matériaux précieux tels que laques, pierres dures et Wedgwood. Lignereux rivalisa avec son gendre dans la fabrication de meubles précieux avant de vendre son fonds de commerce à Thomire. La conception de la console à l'entretoise occupée par une cariatide ailée terminée par un jarret de bête à griffes, peut être attribuée à Weisweiler qui avait créé différents types de consoles d'ébénisterie, celles-ci remplaçant les traditionnelles consoles de menuiserie fixées aux boiseries.

L'esprit du "rocaille symétrisé classicisant"

Deux paires de consoles Louis XV du château de La Rochefoucauld. H. 81,5 cm, L. 160 cm, P. 63 cm. Vente Christie's, Paris, 21 juin 2006.
Adjugées : 696 000 € (les deux paires)

Il est rarissime de rencontrer d'aussi beaux exemples du "rocaille symétrisé classicisant" où la structure mouvementée est bien de l'esprit rocaille, alors que l'emploi de bois massifs et trapus puissamment rythmés en tempère l'exubérance. L'architecte Pierre Contant d'Ivry fut le principal prosélyte, voire l'initiateur, de ce style en vogue entre 1753 et 1760, et décrit comme le "juste milieu entre ces deux excès", "la pesanteur de nos anciens", à savoir le classicisme et la "frivolité" du rocaille, selon l'article de Blondel paru en 1762 dans l'*Encyclopédie*.

Le fauteuil de bureau de Napoléon Ier
Numéros d'inventaire au pochoir à l'encre :
"15334", "GT 271" et "W428".
H. 110,5 cm, L. 70 cm, P. 52 cm.
Vente Paris, Artcurial, 20 juin 2006 ;
cabinet d'expertise Le Fuel et de L'Espée.
Adjugé : 299 335 €

Préempté pour le château de Versailles, ce fauteuil a été livré le 10 juillet 1810 par François-Honoré-Georges Jacob-Desmalter (1770-1841) pour le Grand Cabinet de l'Empereur, aujourd'hui appelé Salon frais, au Grand Trianon. Napoléon Ier avait décidé, dès mars 1808, de remanier Trianon. Le mobilier fut commandé à Jacob-Desmalter, second fils du célèbre Georges Jacob, et à Pierre Marcion, autre grand fournisseur de l'Empire. La massivité des pieds antérieurs en pilastres et des pieds sabres à l'arrière, typique d'un style Empire qui n'hésite pas à appliquer au mobilier certains éléments tirés de l'architecture antique, est compensée par le dessin du dossier en acajou, enchâssé par deux élégants godrons à caractère orientalisant, très finement sculptés en bois doré.

Fauteuil de la princesse Kinsky estampillé Georges Jacob
95 x 58 x 47 cm. Vente Paris,
Artcurial, 20 juin 2006 ; cabinet
d'expertise Le Fuel et de L'Espée.
Adjugé : 172 651 €

En acajou, ce modèle aux accotoirs terminés par des cornes d'abondance stylisées à godrons, sur des pieds antérieurs fuselés à bagues, a été dessiné par l'architecte Charles Percier, comme en témoigne un dessin préparatoire. Georges Jacob a réalisé ce modèle très novateur dans les années 1790, pour le Pavillon chinois situé dans le jardin de l'hôtel de la princesse Kinsky, rue Saint-Dominique à Paris.

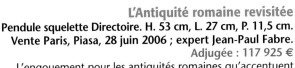

L'Antiquité romaine revisitée
Pendule squelette Directoire. H. 53 cm, L. 27 cm, P. 11,5 cm.
Vente Paris, Piasa, 28 juin 2006 ; expert Jean-Paul Fabre.
Adjugée : 117 925 €

L'engouement pour les antiquités romaines qu'accentuent les campagnes du général Bonaparte caractérise le style de cette pendule ornée d'un aigle, de cornes d'abondance, de statuettes canéphores et d'un bas-relief en bronze doré aux amours musiciens sur le socle. Le style Directoire, appelé aussi style Messidor, s'étend de la fin du Louis XVI, à la Révolution, au Directoire et à une partie du Consulat. Le mouvement de cette pendule ornée d'émaux polychromes, dont un modèle identique est conservé au musée des Arts décoratifs de Lyon, entraîne un mécanisme de trois cadrans indiquant l'heure, les jours, les quantièmes, les mois, les saisons, les phases de la lune et les signes du zodiaque.

Paire de canapés par Georges Jacob pour la marquise de Marbeuf
104 x 170 x 62 cm.
Vente Paris, Artcurial, 20 juin 2006 ;
cabinet d'expertise Le Fuel et de L'Espée.
Adjugée : 253 594 €

Fille du directeur de la Compagnie des Indes, Henriette-Françoise Michel épousa en 1757 le marquis de Marbeuf, colonel de dragons, avant de s'installer dans l'hôtel particulier familial, rue du Faubourg Saint-Honoré. Georges Jacob (1739-1814) réalisa pour le Grand Salon un mobilier composé de douze sièges meublants dont ces deux grands canapés. Cet ensemble est l'une des rares commandes influencées par le goût *grec* et le goût *égyptien* qui se retrouvent dans les dossiers arqués, les pieds postérieurs en sabre, le décor de fleurs de lotus. Le dessin de ces sièges aux accoudoirs en forme de sphinges qui témoignent du goût *égyptien* mis à la mode dès 1769 par Piranèse, bien avant les campagnes égyptiennes de Bonaparte en 1798, est vraisemblablement l'œuvre de l'ornemaniste Jean-Démosthène Dugourc (1749-1825), dessinateur du garde-meuble de la Couronne en 1784, avant de travailler pour toute l'Europe dans les années 1780-1790.

par Françoise Boisgibault

Un bouquet de Strasbourg
**Assiette en faïence stannifère
du XVIIIᵉ siècle, D. 33 cm.
Vente Paris, Millon & Associés,
28 juin 2006 ; expert
Jean-Gabriel Peyre.**
Adjugée : 2 500 €
L'attribution de cette céramique
à Strasbourg ne fait pas de doute,
d'abord par l'observation visuelle de
l'exécution de ce grand bouquet central
composé d'une tulipe accompagnée d'une
renoncule et d'autres fleurs "en qualité fine", c'est-à-dire
de fleurs non cernées d'un trait. De plus, la marque "JH" est
celle de Joseph Hannong, le troisième membre de la dynastie
strasbourgeoise de faïenciers. La forme en argenterie et
la délicatesse de couleurs ont tenté l'acheteur qui a ainsi
multiplié par trois l'estimation basse (800/1 000 €).

Céladon du XVᵉ siècle
**Lonquan, Zhejiang
(Chine), XVᵉ siècle.
Grès émaillé, D. 44 cm.
Vente Paris, Piasa,
16 juin 2006 ;
expert Thierry Portier.**
Adjugé : 4 300 €
De l'époque Ming
(1368-1644) date ce grand
plat de forme ronde en grès
émaillé céladon. La couverte
à la subtile nuance verte
recouvre un décor gravé
au centre d'un motif
géométrique, entouré de
médaillons de caractères
et fleurs alternées
(estimé 3 000/4 000 €).

Un Mingqi de la période Tang
**Chine, VIIIᵉ siècle. Terre cuite, H. 38 cm.
Vente Paris, Tajan, 12 juin 2006 ;
expert Pierre Ansas.**
Adjugé : 2 466 € (frais inclus)
La vedette de cette vente, un vase Meiping
de la période Ming en porcelaine bleu-blanc,
à la panse ornée d'un décor librement
esquissé de personnages sous un pin
(estimé 40 000/50 000 €), n'a pas trouvé
preneur. Mais ce Mingqi est parti dans la
fourchette de l'estimation (2 000/2 500 €).
Il représente une cavalière à l'arrêt en terre
cuite beige rehaussée de pigments rouge et
noir. La cavalière paraît frêle par rapport au
cheval puissant qu'elle chevauche. L'ensemble
est imprégné de calme et de beauté.

Une *crespina perforata* du XVIᵉ siècle
**Faenza, vers 1570. Faïence, 31 x 27 cm.
Vente Paris, Piasa, 2 juin 2006 ;
expert Laurence Fligny.**
Adjugée : 1 700 €
Cette coupe ajourée dite *crespina perforata* a été
fabriquée dans l'atelier de Virgiliotto Calamelli
à Faenza. Malgré un léger cheveu et de petites
égrenures, son prix d'adjudication a doublé
l'estimation basse (800/1 000 €).
Son ornementation est typique du décor
a compendiario qui laisse une part prioritaire
au blanc de l'émail, ici seulement décoré d'un
putto tenant une feuille de laurier. L'enfant
ailé est de couleurs douces – bleu et jaune –
et se détache sur le fond blanc joliment ajouré
en manière de vannerie. À la même vente
étaient mis aux enchères vingt-et-un vases
apuliens de la collection de Bernard et Annabel
Buffet ; ils sont tous partis, avec la plus haute
enchère de 18 000 € pour une grande amphore
à figures rouges, peinte sur une face d'un cavalier.

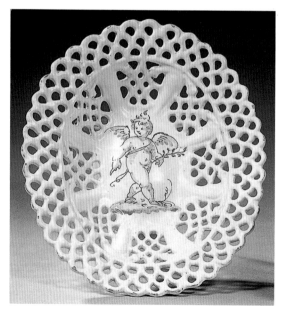

Lynx danois du XXᵉ siècle

Porcelaine, H. 30 cm.
Vente Paris, Millon & Associés, 16 juin 2006 ;
experts Claude-Annie Marzet et Jacques Mostini.
Adjugé : 1 050 € (frais inclus)
La manufacture de Copenhague s'était fait une spécialité
de vases, de petits personnages et d'animaux en porcelaine
d'une couleur douce caractéristique. Ces derniers sont
de toutes sortes : lapins, oiseaux, coqs et poules, panthères,
hippopotames, chiens et chats… Là, c'est un lynx
qui a doublé l'estimation moyenne (400/600 €).
"Royal Copenhagen" est signé, accompagné des
initiales du sculpteur Knud Kyhn.

Douze couteaux de Saint-Cloud

Pâte tendre, XVIIIᵉ siècle, L. 22 cm.
Vente Paris, Thierry de Maigret, 7 juin 2006 ;
expert Vincent L'Herrou.
Adjugés : 2 500 €
Au XVIIIᵉ siècle, les manches de couteaux pouvaient être en
porcelaine, comme sur ce modèle à crosse portant un décor
en polychromie dans le style Kakiemon. Fait rare : les douze
lames d'acier portent la marque d'un coutelier "symbole
d'une clé" et sont en bon état ; les viroles en argent sont
d'origine. Pour cet ensemble, les enchères n'ont pas
dépassé l'estimation basse (2 500/3 000 €).

Une coloquinte de Taxile Doat

Porcelaine signée Taxile Doat
et manufacture nationale
de Sèvres, datée 1903,
H. 25,3 cm. Vente Paris,
Beaussant Lefèvre,
16 juin 2006 ;
expert Jean Marc Maury.
Adjugée : 9 000 €
Malgré le manque du bouchon,
les enchères se sont envolées
pour ce vase coloquinte à col
étranglé et ourlé (estimé 5 000/
6 000 €). Comme Taxile Doat
aimait le faire, sur les coulées
d'émaux brun, gris et beige
se détachent deux médaillons
à décor en pâte sur pâte de motifs
d'enfants musiciens et de danseurs.

Vase de Sèvres au décor d'ombellifères

Porcelaine, signée d'un cachet imprimé "S 1903,
décoré à Sèvres 1904, CHL 1904", H. 18,3 cm.
Vente Paris, Pescheteau-Badin, 4 juillet 2006 ;
expert Bénédicte Blondeau-Wattel.
Adjugé : 550 €
Parmi les 350 céramiques proposées figurait un vase
balustre de la même année que celui de Taxile Doat,
mais cette porcelaine également produite par la
manufacture de Sèvres n'a pas vu les enchères s'envoler.
Le vase porte un décor émaillé d'ombellifères en fleurs qui
occupe bien l'espace, mais qui est moins original que celui
de Taxile Doat. Il n'est pas attribué à un artiste en renom
et a été restauré. Néanmoins, sa facture est très soignée,
comme toujours à Sèvres.

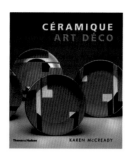

Céramique Art déco

Ce bel ouvrage de Karen McCready
se veut un guide complet de la céramique
Art déco, replacée dans le contexte
d'une époque marquée par une intense
collaboration entre l'art et l'industrie,
et ayant légué une profusion d'objets en
céramique dont la variété des styles reflète
non seulement l'influence de la tradition,
mais également l'esthétique de l'avant-
garde et les tendances stylistiques de
l'époque. Une importante introduction
clarifie la notion encore confuse et
multiforme d'Art déco, apparue lors
de l'Exposition internationale des arts
décoratifs et industriels modernes de Paris
en 1925. Ce terme ne désignait alors
que les arts décoratifs français des années
1910-1920 ; il décrit ici un style fondé
sur l'éclectisme, privilégiant la variété
et la richesse du décor.
L'auteur se livre à une étude approfondie,
élargie à la production mondiale,
abordant aussi bien la porcelaine
révolutionnaire russe, instrument
de l'agit-prop pour la propagation de
messages politiques et moraux, que
le Bauhaus, dont la poterie reflète le
penchant idéologique, l'Art déco anglais,
ainsi que la production américaine,
entre art moderne et Art déco, au
design audacieux d'aspect futuriste.
On découvre ainsi combien tous ces
courants se rattachent à des sources
d'inspiration multiculturelles – chinoises,
persanes, japonaises, égyptiennes,
précolombiennes… – qu'ils revisitent
de façon véritablement novatrice,
mettant particulièrement en valeur
les créateurs français.
La seconde partie de l'ouvrage est
constituée d'une série de planches
de grande qualité, reproduisant
quelques-unes des plus belles réalisations
de cette période, classées selon leurs
pays d'origine. S'achevant par un très
important dictionnaire encyclopédique
des céramistes, créateurs et fabricants,
complété d'un lexique, cet ouvrage
fera référence pour la connaissance d'un
domaine artistique encore insuffisamment
exploré. **Joëlle Elmyre Doussot**
Karen McCready, *Céramique Art déco*.
Éditions Thames & Hudson, 192 p. 29,95 €.

Van Cleef & Arpels, reflets d'éternité

À l'occasion de son centenaire,
Van Cleef & Arpels publie un livre qui met
l'accent sur la photographie : en pleines
pages, les bijoux sont surdimensionnés,
magnifiés. D'entrée, une fée ondine
vous invite à plonger dans la matière,
la gemme sublimée. D'entrée s'étalent les
jeux de lignes de diamants et de saphirs,
florilège de tailles et de sertissages,
sans que la difficulté ne se fasse sentir.
Elle n'est jamais montrée ; le comble de
la technique est son apparente facilité.
Les bijoux sont associés à leurs dessins,
à des publicités, aux mains qui les réalisent
ou aux célébrités qui les portent. Mais
le choix de surdimensionner les bijoux
semble trop systématique, parfois même
inadapté ; les papillons ratent leur envol
par manque de légèreté et les montures
métalliques devenues trop visibles font
perdre à la pièce sa féminité, d'autant plus
que, dans les légendes, aucune taille n'est
mentionnée, ni aucun poids des pierres.
Dans cette maison où la perfection
technique a du sens, où sont présents
parmi les meilleurs artisans du monde,
quelques indications sur le temps passé
à exécuter une de ces merveilles au
serti invisible manquent. Par ailleurs,
un béryl vert d'eau se voit nommer
émeraude. Est-ce le livre d'un service
marketing ou d'un joaillier ?
Le texte est une ballade poétique.
Marc Petit sait enjoliver l'épopée
de Van Cleef & Arpels, soulignant combien
les parures, images de la futilité même,
survivent au pouvoir, et donnent ainsi
du sens au titre, *Reflets d'éternité*. Si les
bijoux mettent l'accent sur les nouvelles
collections, les documents d'archives
viennent à propos et font parfois sourire.
Ainsi, dans une publicité de 1917, lorsque
la maison employa du bois pour cause de
restrictions budgétaires, un homme fait ce
commentaire : "J'ai une femme en bois.
Alors, j'ai pensé que je pourrais vous
la céder, si vous vouliez, pour en
faire des bagues ou des bracelets
porte-bonheur…" **Michèle Heuzé**
Marc Petit, *Van Cleef & Arpels. Reflets
d'éternité*, photos Guy Lucas de Peslouan.
Éditions Cercle d'Art, 192 p. 100 €.

Rayonnement de Byzance

Nouvelle venue dans le paysage français
des éditeurs d'art, Thalia Édition publie
des ouvrages sur des périodes allant
de l'Antiquité à l'art contemporain.
L'une des collections qu'elle propose
dès cette première année s'intitule
"Art et Civilisations" et entend livrer
des textes de référence accompagnés
d'une importante iconographie ;
c'est le cas du premier volume de
cette collection, *Rayonnement de Byzance*,
que signe Tania Velmans, chercheur au
CNRS et spécialiste de la peinture
byzantine. L'ouvrage avait été publié une
première fois chez Desclée de Brouwer /
Zodiaque en 1999 et était épuisé ; sa
réédition a donné lieu à une refonte,
notamment de l'iconographie.
La question à laquelle l'ouvrage entend
répondre est la suivante : quel héritage
l'empire byzantin a-t-il légué, à travers
l'art, à l'Occident ? Cet héritage n'est-il
pas sous-estimé ? C'est en s'appuyant
essentiellement sur la production
byzantine de peinture, de fresque et de
mosaïque que l'auteur mène son analyse,
retraçant chronologiquement l'histoire
de ces arts du VIe siècle à la chute de
l'empire, au XVe siècle. Autre ambition :
"faire mieux comprendre les divers
niveaux de signification, la richesse
thématique et symbolique, ainsi que
la valeur artistique de la peinture murale
byzantine", et ce à travers un choix
d'œuvres parmi les plus significatives des
différents styles rencontrés. Après avoir
posé dans le premier chapitre les principes
fondamentaux de l'esthétique byzantine,
l'auteur tente en effet une synthèse
– malgré des disparités géographiques
non négligeables, ici prises en compte –
des caractéristiques stylistiques des quatre
grandes périodes – époque justinienne
(VIe-VIIIe siècles), époque classique
(IXe-XIe s.), époque des Comnènes (XIIe s.)
et renaissance des Paléologues
(XIIIe-XVe s.). D'une grande densité,
l'ouvrage met aussi l'accent sur le
contexte dans lequel furent créées les
œuvres étudiées, faisant de cette étude
une référence en la matière. **L. C.-G.**
Tania Velmans, *Rayonnement de Byzance*.
Thalia Édition, 320 p. 98 €.

Histoire des tissus en France

Historienne et critique d'art, Alexandra Fau offre ici un petit ouvrage remarquable par ses qualités documentaires et esthétiques. Voici retracés six siècles d'histoire du textile en France, du Moyen Âge à l'époque contemporaine, cette étude dépassant la simple évocation d'un savoir-faire et de ses techniques variées ; en s'intéressant aux tissus, à leurs fabrication et usage, l'auteur éclaire d'un jour nouveau l'histoire de la société française, l'évolution des comportements et des mœurs, des goûts et des modes, ainsi que des rapports sociaux.
Le livre s'ouvre sur un chapitre consacré aux différents fils, français ou venus de l'étranger : laine, lin, chanvre, crin, coton et soie – matière la plus prestigieuse, que la France chercha à produire dès le XVe siècle. Suit une importante section introduisant aux secrets de l'industrie des tissus : matériel utilisé, réalisation des décors, répartition des grands centres textiles en France, rôle des diffuseurs et détaillants. L'auteur aborde ensuite les rapports des hommes et de leurs vêtements au cours des temps et selon leur statut social. Sont présentés ici aussi bien les textiles d'apparat que ceux du labeur, ainsi que les tenues des enfants. Le livre s'achève sur deux chapitres consacrés aux tissus d'ameublement et au linge de maison. Rythmé par des encarts apportant de précieux détails, enrichi d'une belle iconographie, il se révèle une excellente synthèse sur les arts textiles en France. **J. E. D.**
Alexandra Fau, *Histoire des tissus en France.* Éditions Ouest-France, 128 p. 15 €.

L'art de l'émail à Limoges

Voici un remarquable guide de l'art de l'émail à Limoges, très bien illustré et complété de riches encarts.
Les créations limousines sont présentées chronologiquement, distinguant trois grandes périodes séparées par une rupture quasi totale : l'émail champlevé du XIIe au XIVe siècle, l'émail peint du XVe au XVIIIe siècle, l'émail contemporain du XIXe siècle à nos jours. Connu depuis l'Antiquité, l'émail désigne à la fois une matière – composé vitreux coloré qui, sous l'effet du feu, fond et adhère à un support en terre, verre ou métal –, la technique employée, et l'œuvre elle-même. C'est à Limoges que cette technique connut, au Moyen Âge, un développement d'une durée remarquable sous la forme d'un émail champlevé sur cuivre, le métal étant masqué par l'opacité des couleurs.
Avec la Renaissance naît une forme totalement nouvelle : l'émail translucide ; la matière se fait motif et recouvre le métal du support. Voué d'abord au service du culte, l'émail revêt alors des pièces de vaisselle décorative, production emblématique des arts décoratifs français de la Renaissance. À cet âge d'or succède un long et inexorable déclin de l'émail, qui renaît au XIXe siècle, d'abord à Paris, avant l'ouverture de nouveaux ateliers à Limoges. Entre tradition et modernité, l'émail limousin triomphe avec l'Art déco et un renouvellement de la typologie des objets émaillés. **J. E. D.**
Jean-Marc Ferrer et Véronique Notin, *L'Art de l'émail à Limoges.* Éditions Culture & Patrimoine en Limousin, 160 p. 21 €.

Le jardin contemporain

"Les jardins sont toujours des miroirs des sociétés et des personnalités qui les créent", posent en préambule les auteurs de cet ouvrage de la collection "Tableaux choisis" ; les douze jardins contemporains qu'ils détaillent ensuite – réalisés entre les années 1970 et nos jours – font ainsi figure d'exemples illustrant les tendances actuelles en matière de jardin.
Après une introduction définissant le cadre de leur étude – qu'est-ce qu'un jardin ? –, les auteurs retracent brièvement l'histoire des jardins au XXe siècle – une histoire faite de ruptures, de la renaissance du style à la française à la banalisation des "espaces verts" – avant d'aborder les principales tendances contemporaines. Première d'entre elles, "continuer l'histoire" explore un exemple d'intervention contemporaine sur un jardin historique, celui des Tuileries, dont Pascal Cribier et Louis Benech ont recréé certains espaces.
"La réinvention du parc public" montre trois exemples de création de jardins dans des environnements urbains, à l'image de la promenade plantée qui sillonne le 12e arrondissement de Paris. Sont aussi abordés les jardins personnels, les "laboratoires" donnant lieu à de nouvelles expériences ou les jardins à thème plus proches du produit mercantile que du lieu de promenade, mais qui participent pleinement de la mode. À chaque lecteur, après avoir parcouru l'ouvrage, de s'interroger ensuite sur ce qu'est pour lui le jardin aujourd'hui… **L. C.-G.**
Hervé Brunon et Monique Mosser, *Le Jardin contemporain.* Éditions Scala, 128 p. 15 €.

Comment reconnaître une faïence de Delft ou de Rouen ?

Avec Delft et Moustiers, la RMN avait lancé en avril une nouvelle collection de petit format destinée à identifier faïences et porcelaines. Deux nouveaux volumes, dévolus à Rouen et Saint-Cloud, paraissent ce mois-ci. Le principe : présenter de manière claire et illustrée des objets, formes et décors typiques d'un centre de production et pouvant constituer des repères précis pour une identification. Le texte, concis, présente aussi un bref historique du centre de production étudié. Une collection idéale pour perfectionner ses connaissances en céramique.
Comment reconnaître une faïence de Delft, Comment reconnaître une faïence de Moustiers, Comment reconnaître une faïence de Rouen et *Comment reconnaître une porcelaine de Saint-Cloud.* Éditions RMN, collection "Comment reconnaître…", 64 p. 15 € chacun.

Faïences de Saint-Clément

Pierre Poncet et Catherine Calame feuillettent dans un intéressant ouvrage les "pages de gloire" de la manufacture de faïence de Saint-Clément, en Lorraine. L'histoire de la manufacture est détaillée et illustrée de nombreux exemples représentatifs de la production de ce centre très actif aux XVIIIe et XIXe siècles. L'association des Amis de la faïence ancienne de Lunéville publie également un petit ouvrage retraçant la fortune du décor *à l'oiseau* sur les faïences du XVIIIe au XXe siècle dans les manufactures de Lunéville, Saint-Clément, Moyen et Rambervillers, jolie variation sur un thème abondamment illustré.
Faïences de Saint-Clément. Pages de gloire, 112 p. 25 €. *Des faïences et des ailes,* 56 p. 16 €. Édités par les Amis de la faïence ancienne de Lunéville – Saint-Clément, office du tourisme, château de Lunéville.

ALSACE

COLMAR (68)
Musée Bartholdi.
Tél. 03 89 41 90 60.
Petite chronique imagée de la statue de la Liberté.
Jusqu'au 31 décembre.

STRASBOURG (67)
Musée d'Art moderne et contemporain.
Tél. 03 88 23 31 31.
Project Room.
Didier Marcel, *(s) cultures.*
Jusqu'au 1er décembre.
**Utopie et révolte.
La gravure allemande du Jugendstil au Bauhaus dans les collections publiques françaises.**
Jusqu'au 31 décembre.
Daniel Depoutot,
Le Magasin des fétiches.
Jusqu'au 14 janvier 2007.

Musée de l'Œuvre Notre-Dame. Tél. 03 88 52 50 00.
De l'objet de culte à l'œuvre d'art.
Jusqu'au 31 décembre.

AQUITAINE

BAYONNE (64)
Musée Bonnat.
Tél 05 59 59 08 52.
Le rayonnement de Florence sous les derniers Médicis.
26 octobre-7 février 2007.

BORDEAUX (33)
Galerie du musée des Beaux-Arts. Tél. 05 56 96 51 60.
**Un regard fauve.
Bonnard, Dufy, Matisse, Marquet, Renoir, Rouault, Valtat, Vlaminck…**
Jusqu'au 20 novembre.

Musée des Arts décoratifs.
Tél. 05 56 00 72 53.
Sylvain Dubuisson, architecte-designer.
La face cachée de l'utile.
20 octobre-29 janvier 2007.

SAMADET (40)
Musée départemental de la Faïence et des Arts de la table. Tél. 05 58 79 13 00.
Les faïences patronymiques. La collection Jeanne Lemerle, donation de Michel Dillange au musée de l'abbaye Sainte-Croix, aux Sables-d'Olonne.
14 octobre-30 novembre.

AUVERGNE

LE PUY-EN-VELAY (43)
Musée Crozatier.
Tél. 04 71 06 62 40.
Conversation entre les collections du FRAC Auvergne et celles du musée Crozatier.
Jusqu'au 30 octobre.

RIOM (63)
Musée Mandet.
Tél. 04 73 38 18 53.

**D'or et d'argent.
La collection d'orfèvrerie contemporaine de Vic-Jansses.**
Jusqu'au 31 décembre.

BOURGOGNE

DIJON (21)
Musée des Beaux-Arts.
Tél. 03 80 74 52 09.
Formes et transparences. 2000 ans d'art du verre (collections du musée).
Jusqu'au 31 décembre.
Musée rêvé, musée en chantier. Projet de rénovation du musée des Beaux-Arts de Dijon.
Jusqu'au 31 décembre.

Musée Magnin.
Tél. 03 80 67 11 10.
Visions du déluge, de la Renaissance au XIXe siècle.
11 octobre-10 janvier 2007.

BRETAGNE

DAOULAS (29)
Abbaye. Tél. 02 98 25 84 39.
Visages des dieux, visages des hommes. Masques d'Asie.
Jusqu'au 7 janvier 2007.

PORT-LOUIS (56)
Musée de la Compagnie des Indes de Lorient, citadelle.
Tél. 02 97 82 19 13.
Comptoirs d'Afrique.
Jusqu'au 4 décembre.

QUIMPER (29)
Le Quartier – centre d'art contemporain.
Tél. 02 98 55 55 77.
Jacques Villeglé.
Jusqu'au 15 octobre.

RENNES (35)
Les Champs Libres.
Tél. 02 23 40 66 00.
D'hommes et d'argent. Orfèvrerie de Haute-Bretagne, XVe-XVIIIe siècles.
24 octobre-15 avril 2007.

CENTRE

CHAMBORD (41)
Château.
Tél. 02 54 50 40 00.
Scipion et Hannibal, tapisseries de rois.
Jusqu'au 12 novembre.

VILLANDRY (37)
Château. Tél. 02 47 50 02 09.
100e anniversaire de la création des jardins du château de Villandry. Joachim Carvallo et son œuvre.
Jusqu'au 12 novembre.

CHAMPAGNE-ARDENNES

REIMS (51)
Musée des Beaux-Arts.
Tél. 03 26 47 28 44.
Années folles, années d'ordre : l'Art déco de Reims à New York.
11 octobre-11 février 2007.

TROYES (10)
Musée d'Art moderne.
Tél. 03 25 76 26 80.
L'art et la mode autour de la donation Pierre Lévy.
6 octobre-7 janvier 2007.

CORSE

AJACCIO (20)
Musée Fesch.
Tél. 04 95 21 48 17.
Gênes triomphante et la Lombardie des Borromée.
28 octobre-23 février 2007.

FRANCHE-COMTÉ

BESANÇON (25)
Musée du Temps.
Tél. 03 81 87 81 50.
Le Roi, l'Empereur et la pendule. Chefs-d'œuvre des collections du Mobilier national.
Jusqu'au 19 novembre.

Musée des Beaux-Arts.
Tél. 03 81 87 80 49.
De Vesontio à Besançon, la ville s'expose.
Jusqu'au 27 novembre.

MONTBÉLIARD (25)
Musée d'Art et d'Histoire, hôtel Beurnier-Rossel.
Tél. 03 81 99 22 61.
Bonjour Monsieur Ingres !
6 octobre-19 novembre.
Dessins de Braun-Vega à partir d'œuvres d'Ingres.

ÎLE-DE-FRANCE

BARBIZON (77)
Musée départemental de l'École de Barbizon.
Tél. 01 60 66 22 27.
Nicolae Grigorescu (1838-1907). L'itinéraire d'un peintre roumain, de l'école de Barbizon à l'impressionnisme.
Jusqu'au 11 décembre.

CHATOU (78)
Musée Fournaise.
Tél. 01 34 80 63 22.
Henri Le Sidaner (1862-1939), le secret des lumières.
Jusqu'au 29 octobre.

ÉCOUEN (95)
Musée national de la Renaissance, château.
Tél. 01 34 38 38 50.
**Images en Relief.
Les plaquettes du musée national de la Renaissance.**
19 octobre-12 mars 2007.

MONTROUGE (92)
Théâtre. Tél. 01 46 12 75 70.
Jeune création européenne 2006-2007.
Jusqu'au 12 octobre.

PARIS
Musée du Louvre.
Tél. 01 40 20 51 51.
Graveurs du Seicento dans la collection du baron Edmond de Rothschild.
4 octobre-15 janvier 2007.

Corps étrangers.
Toni Morrisson / William Forsythe / Peter Welz.
13 octobre-15 janvier 2007.
Candida Höfer.
18 octobre-8 janvier 2007.
William Hogarth (1697-1764).
20 octobre-8 janvier 2007.
Rembrandt dessinateur.
20 octobre-8 janvier 2007.
Desiderio da Settignano, un sculpteur de la Renaissance florentine.
27 octobre-22 janvier 2007.

Grand Palais.
Tél. 01 44 13 17 17.
Il était une fois Walt Disney. Aux sources de l'art des studios Disney.
Jusqu'au 15 janvier 2007.
Portraits publics, portraits privés, 1770-1830.
4 octobre-8 janvier 2007.

Musée du Luxembourg.
Tél. 01 45 44 12 90.
Titien, le pouvoir en face.
Jusqu'au 21 janvier 2007.

Petit Palais – musée des Beaux-Arts de la Ville de Paris.
Tél. 01 53 43 40 00.
Rembrandt, eaux-fortes.
19 octobre-7 janvier 2007.

Musée d'Orsay.
Tél. 01 40 49 48 14.
Maurice Denis (1870-1943).
31 octobre-21 janvier 2007.

Musée national d'Art moderne, centre Pompidou.
Tél. 01 44 78 12 33.
Les peintres de la vie moderne. Donation de la collection photographique de la Caisse des dépôts.
27 septembre-27 novembre.
Mouvement des images. Art et cinéma.
Jusqu'au 29 janvier 2007.
Yves Klein.
4 octobre-5 février 2007.
Robert Rauschenberg,
Combines.
9 octobre-15 janvier 2007.

Musée d'Art moderne de la Ville de Paris.
Tél. 01 53 67 40 80.
Rétrospective Dan Flavin.
Jusqu'au 8 octobre.

Musée Jacquemart-André.
Tél. 01 45 62 11 59.
**L'or des Thraces.
Trésors de Bulgarie.**
14 octobre-31 janvier 2007.

Musée Carnavalet.
Tél. 01 44 59 58 58.
Paris à grands traits. Eaux-fortes et dessins d'Érik Desmazières.
18 octobre-25 février 2007.
Tensions et vibrations dans la ville. Sculptures et décors par Deverne.
18 octobre-25 février 2007.

Musée national du Moyen Âge. Tél. 01 53 73 78 00.
Œuvres nouvelles, 1995-2005.
Jusqu'au 6 novembre.
Pinceaux de lumière.
18 octobre-15 janvier 2007.

Musée des Arts décoratifs.
Tél. 01 44 55 57 50.
Éditer le design : pour un, pour tous, l'édition en question ; Danese, éditeur de design à Milan.
25 octobre-21 janvier 2007.

Musée Rodin.
Tél. 01 44 18 61 10.
Anthony Caro,
After Olympia.
Jusqu'au 18 février 2007.
Rodin, figures d'Eros. Dessins et aquarelles, 1890-1917.
24 octobre-18 février 2007.

Musée national des Arts asiatiques – Guimet.
Tél. 01 56 52 53 00.
Afghanistan, les trésors retrouvés. Collections du musée national de Kaboul.
25 octobre-27 février 2007.

Musée du quai Branly.
Tél. 01 56 61 70 00.
La Bouche du roi de Romuald Hazoumé.
Jusqu'au 13 novembre.
D'un regard l'Autre. Histoire des regards européens sur l'Afrique, l'Amérique et l'Océanie.
Jusqu'au 21 janvier 2007.

Musée Dapper.
Tél. 01 45 00 01 50.
Gabon, présence des esprits.
Jusqu'au 22 juillet 2007.

Musée Cernuschi – musée des Arts de l'Asie de la Ville de Paris. Tél. 01 53 96 21 50.
Les Perses sassanides. Fastes d'un empire oublié.
Jusqu'au 30 décembre.

Musée de la Vie romantique.
Tél. 01 55 31 95 67.
Pierre Loti (1850-1923),
Fantômes d'Orient.
Jusqu'au 3 décembre.

Musée Bouchard.
Tél. 01 46 47 63 46.
Bouchard et l'art décoratif, 1908-1937.
Jusqu'au 13 décembre.

Musée Picasso.
Tél. 01 42 71 25 21.
Les Picasso de Heinz Berggruen.
Jusqu'au 8 janvier 2007.

Musée de la Publicité.
Tél 01 44 55 58 78.
Une histoire en images. Les Arts Décoratifs.
Jusqu'au 8 octobre.

Bibliothèque nationale de France – site Richelieu. Tél. 01 53 79 59 59.
Rembrandt, la lumière de l'ombre.
11 octobre-7 janvier 2007.

École nationale supérieure des Beaux-Arts. Tél. 01 47 03 50 39.
Dessins de James Pradier dans les collections de l'ENSBA, 1er volet.
3 octobre-10 novembre.

Fondation Mona Bismarck. Tél. 01 47 23 38 88.
Ombres de Nouvelle-Guinée. Arts de la grande île d'Océanie dans les collections Barbier-Mueller.
3 octobre-25 novembre.

Prelle, 5 place des Victoires. Tél. 01 42 36 67 21.
Le goût Marie-Antoinette.
Jusqu'au 27 octobre.

Galerie de la manufacture de Sèvres, 4 place André Malraux. Tél. 01 47 03 40 20.
Les années 1950 à Sèvres. L'effet céramique.
Jusqu'au 30 novembre.

Institut du Monde arabe. Tél. 01 40 51 38 38.
Venise et l'Orient.
3 octobre-18 février 2007.

Ambassade d'Australie. Tél. 01 40 59 33 00.
La commande publique d'art aborigène australien au musée du quai Branly.
Jusqu'au 17 janvier 2007.
Réalité et mythologie. Art aborigène contemporain du désert. Collection Gabrielle Pizzi.
Jusqu'au 17 janvier 2007.

Maison de la culture du Japon. Tél. 01 44 37 95 01.
Katagami. Les pochoirs japonais et le japonisme.
19 octobre-20 janvier 2007.

Institut néerlandais. Tél. 01 53 59 12 40.
Voyages en France. Les dessinateurs hollandais au siècle de Rembrandt.
5 octobre-3 décembre.
Rembrandt et son entourage. Les eaux-fortes de Rembrandt dans la collection Frits Lugt.
5 octobre-3 décembre.

Galerie Alain Marcelpoil, 15 rue de Miromesnil. Tél. 01 40 06 90 45.
Élégance et fonctionnalité. André Sornay à l'avant-garde.
Jusqu'au 14 octobre.

Galerie Martel-Greiner, 71 boulevard Raspail. Tél. 01 45 48 13 05.

Sculptures de Joseph Rivière (1912-1961).
3-21 octobre.

Le Louvre des Antiquaires. Tél. 01 42 97 27 27.
Le Louvre des Antiquaires s'expose.
Jusqu'au 14 octobre.

Galerie Vallois, 35 rue de Seine. Tél. 01 43 25 17 34.
Yuri Kuper.
12 octobre-2 décembre.

Galerie Les Enluminures, Louvre des Antiquaires. Tél. 01 42 60 15 58.
Enluminures. Peintures du livre manuscrit.
Jusqu'au 22 octobre.

Galerie Jacques de Vos, 7 rue Bonaparte. Tél. 01 43 29 88 94.
Paul Dupré-Lafon, 5 meubles d'exception.
Jusqu'au 14 octobre.

Galerie Hélène Porée, 1 rue de l'Odéon. Tél. 01 43 54 17 00.
Udo Zembok : la troisième dimension de la couleur.
Jusqu'au 14 octobre.

RUEIL-MALMAISON (92)
Musée national du château de Malmaison. Tél. 01 41 29 05 55.
Dagoty à Paris. La manufacture de porcelaine de l'Impératrice.
4 octobre-8 janvier 2007.

SAINT-CLOUD (92)
Musée des Avelines. Tél. 01 46 02 67 18.
Eugène Carrière, "un autre regard". contours d'une collection.
Jusqu'au 22 décembre.

SAINT-DENIS (93)
Musée d'Art et d'Histoire. Tél. 01 42 43 05 10.
Picasso, Chagall, Signac… artistes et collectionneurs donateurs au musée d'Art et d'Histoire de Saint-Denis.
Jusqu'au 15 janvier 2007.

SAINT-GERMAIN-EN-LAYE (78)
Musée d'Archéologie nationale, château. Tél. 01 39 10 13 00.
Objets de pouvoir en Nouvelle-Guinée. La donation Anne-Marie et Pierre Pétrequin.
Jusqu'au 7 janvier 2007.

Musée départemental Maurice Denis. Tél. 01 39 73 77 87.
L'œuvre dévoilé : Maurice Denis dessinateur.
28 octobre-21 janvier 2007.

SCEAUX (92)
Musée de l'Île de France, château. Tél. 01 41 87 29 50.
Architectures pour un domaine de Colbert à nos jours.
2 octobre-15 janvier 2007.

SÈVRES (92)
Musée national de Céramique. Tél. 01 41 14 04 20.
Sèvres, 1756.
11 octobre-8 janvier 2007.

Galerie de la manufacture. Tél. 01 46 29 22 10.
Les années 1950 à Sèvres. L'effet céramique.
Jusqu'au 30 novembre.

VERSAILLES (78)
Musée national du château de Versailles. Tél. 01 30 83 78 00.
Tapis de la Savonnerie pour la chapelle royale de Versailles.
Jusqu'au 17 décembre.

LANGUEDOC-ROUSSILLON
CARCASSONNE (11)
Musée des Beaux-Arts. Tél. 04 68 77 73 70.
Passions d'un collectionneur.
20 octobre-20 janvier 2007.

LODÈVE (34)
Musée Fleury. Tél. 04 67 88 86 10.

Berthe Morisot, regards pluriels.
Jusqu'au 29 octobre.

MONTPELLIER (34)
Pavillon du musée Fabre. Tél. 04 67 66 13 46.
Venise, l'art de la Serenissima. Dessins des XVIIe et XVIIIe siècles.
14 octobre-14 janvier 2007.

NÎMES (30)
Carré d'Art – musée d'Art contemporain. Tél. 04 66 76 35 70.
Jana Sterbak.
20 octobre-7 janvier 2007.

Musée du Vieux Nîmes. Tél. 04 66 76 73 70.
Petits bouts d'étoffes, petits bouts d'histoire.
Jusqu'au 27 mai 2007.

LIMOUSIN
AUBUSSON (23)
Musée départemental de la Tapisserie. Tél. 05 55 83 08 30.
Collecter, conserver, exposer…
Jusqu'en novembre.

LIMOGES (87)
Musée national Adrien Dubouché. Tél. 05 55 33 08 50.
La manufacture de porcelaine Locré,

Paris-Limoges, 1772-1820. La collection Michel Bloit.
Jusqu'au 30 octobre.

ROCHECHOUART (87)
Musée départemental d'Art contemporain. Tél. 05 55 03 77 91.
Nouvelles acquisitions design.
Jusqu'au 15 décembre.

SARRAN (19)
Musée du Président Jacques Chirac. Tél. 05 55 21 77 77.
Kimonos Art déco. Tradition et modernité dans le Japon de la première moitié du XXe s. (collection Montgomery).
Jusqu'au 15 octobre.

LORRAINE
BACCARAT (54)
Mairie. Tél. 03 83 76 06 99.
Bijou contemporain.
19 octobre-10 novembre.

ÉPINAL (88)
Musée départemental d'Art ancien et contemporain. Tél. 03 29 82 20 33.
Sans le soleil exactement… Albert Marquet, Port de Marseille sous la pluie, 1918.
Jusqu'au 8 janvier 2007.

NANCY (54)
Musée Lorrain. Tél. 03 83 32 18 74.

Jean-Baptiste Claudot (1733-1805). Le sentiment du paysage en Lorraine au XVIIIe siècle.
Jusqu'au 16 octobre.

Musée des Beaux-Arts.
Tél. 03 83 85 30 72.
Le comité Nancy-Paris, 1923-1927.
6 octobre-15 janvier 2007.

SARREBOURG (57)
Musée du Pays de Sarrebourg.
Tél. 03 87 08 08 68.
Images du Cirque. Marc Chagall, l'âme du cirque.
Jusqu'au 18 novembre.

MIDI-PYRÉNÉES
CASTRES (81)
Musée Goya.
Tél. 05 63 71 59 30.
On touche au chef-d'œuvre ! Prémices de la restauration de *La Junte des Philippines* de Goya.
Jusqu'au 29 octobre.

TOULOUSE (31)
Musée des Augustins.
Tél. 05 61 22 21 82.
Les passions de l'âme. Peintures des XVIIe et XVIIIe siècles de la collection Changeux.
Jusqu'au 28 novembre.

VALENCE-SUR-BAÏSE (32)
Abbaye de Flaran.
Tél. 05 62 28 50 19.
La collection Simonov. Maîtres de l'art européen (XVIe-XXe siècles).
Jusqu'au 31 décembre.

NORD – PAS-DE-CALAIS
BOULOGNE-SUR-MER (62)
Château-Musée.
Tél. 03 21 10 02 22.
Heraclès, héros grec aux Douze Travaux.
Jusqu'au 30 octobre.

CALAIS (62)
Musée des Beaux-Arts.
Tél. 03 21 46 48 40.
Les liaisons dangereuses. Nouvel accrochage des collections beaux-arts.
Jusqu'au 14 janvier 2007.

LILLE (59)
Palais des Beaux-Arts.
Tél. 03 20 06 78 00.
L'homme paysage.
14 octobre-14 janvier 2007.

Musée de l'Hospice Comtesse.
Tél. 03 20 49 50 90.
Indomania. L'art populaire indien.
14 octobre-14 janvier 2007.

ROUBAIX (59)
La Piscine – musée d'Art et d'Industrie André Diligent.
Tél. 03 20 69 23 71.
Marimekko. Une saison finlandaise.
21 octobre-14 janvier 2007.

TOURCOING (59)
Musée des Beaux-Arts.
Tél. 03 20 28 91 60.
Le Corbusier à Chandigarh, 1951-2006.
14 octobre-14 janvier 2007.

NORMANDIE
CAEN (14)
Musée de Normandie, château. Tél. 02 31 30 47 60.
Les Normands en Sicile, XIe-XXIe siècles, histoire et légendes.
Jusqu'au 15 octobre.

COUTANCES (50)
Musée Quesnel-Morinière.
Tél. 02 33 07 07 88.
Fontaines des centres potiers du Cotentin.
Jusqu'au 5 novembre.

ÉVREUX (27)
Hôtel du Département.
Tél. 02 32 31 93 90.
Rétrospective Gérard Fromanger (1962-2006).
Jusqu'au 28 novembre.

GIVERNY (27)
Musée d'Art américain.
Tél. 02 32 51 94 65.
Le passage à Paris : les artistes américains, 1860-1930.
Jusqu'au 31 octobre.
La scène américaine, 1860-1930.
Jusqu'au 31 octobre.
GRAND-QUEVILLY (76)
Maison des Arts.
Tél. 02 35 68 93 07.
Deux regards sur le portrait. David Hockney et Francis Bacon.
Jusqu'au 22 octobre.

LE HAVRE (76)
Musée Malraux.
Tél. 02 35 19 62 62.
Jean-Francis Auburtin (1866-1930), les variations normandes.
14 octobre-28 janvier 2007.

LOUVIERS (27)
Musée. Tél. 02 32 09 58 55.
Rétrospective Gérard Fromanger (1962-2006).
Jusqu'au 28 novembre.

PAYS-DE-LA-LOIRE
ANGERS (49)
Musée des Beaux-Arts.
Tél. 02 41 05 38 00.
François Morellet, 1926-2006 etc… récentes fantaisies.
Jusqu'au 12 novembre.
Dessins méconnus des musées d'Angers. De Speckaert à Jongkind.
Jusqu'au 26 novembre.

Musée Jean Lurçat et de la tapisserie contemporaine.
Tél. 02 41 24 18 48.
Le musée de la tapisserie : 20 ans déjà ! 1986-2006.
Jusqu'au 15 octobre.

À l'Hôtel de Ville, au cloître Toussaint et au Grand Théâtre. Tél. 02 41 05 41 47.
Triptyque. Manifestation d'art contemporain.
7 octobre-19 novembre.

CHOLET (49)
Musée d'Art et d'Histoire.
Tél. 02 41 49 29 00.
Vases en voyage de la Grèce à l'Étrurie.
Jusqu'au 17 décembre.

LE MANS (72)
Musée de la Reine Bérengère.
Tél. 02 43 47 38 51.
Le Mans au bout du pinceau. Les aquarelles de Louis Moullin (1817-1876).
Jusqu'au 5 novembre.

PICARDIE
ABBEVILLE (80)
Musée Boucher-de-Perthes.
Tél. 03 22 24 08 49.
Louis-Olivier Chesnay (1899-1999), mer et ciels picards.
Jusqu'au 3 décembre.

AMIENS (80)
Musée de Picardie.
Tél. 03 22 97 14 00.
D'étonnants détours. Découvrir des œuvres du FNAC à Amiens.
Jusqu'au 14 janvier 2007.
Wim Delvoye, Juan Muñoz, Alain Séchas, Jean-François Texier, Françoise Vergier…

F.R.A.C. Picardie.
Tél. 03 22 91 66 00.
D'étonnants détours. Volet 1. Pierre Bismuth, Günter Brus, Wim Delvoye, Pierre Joseph, Jacques Julien, William Kentridge, Frédérique Loutz, Valérie Novarina, Hugues Reip, Kiki Smith, Zush.
Jusqu'au 28 octobre.

École supérieure d'art et de design. Tél. 03 22 66 49 90.
Ann-Veronica Janssens / Suzanne Lafont.
Jusqu'au 29 octobre.

BEAUVAIS (60)
Musée départemental de l'Oise. Tél. 03 44 11 43 83.
Destination : céramiques en Beauvaisis. Un nouveau regard sur les collections.
Jusqu'au 21 janvier 2007.

CHANTILLY (60)
Musée Condé, château.
Tél. 03 44 62 62 62.
Tables princières à Chantilly du XVIIe au XIXe siècle.
Jusqu'au 8 janvier 2007.

COMPIÈGNE (60)
Musée national du château.
Tél. 03 44 38 47 00.
Louis XVI et Marie-Antoinette à Compiègne.
Jusqu'au 8 janvier 2007.

FONTAINE-CHAALIS (60)
Abbaye royale de Chaalis.
Tél. 03 44 54 04 02.
Le cardinal Hippolyte d'Este, le courtisan.
Jusqu'au 31 décembre.

POITOU-CHARENTES
COGNAC (16)
Maison Hennessy.
Tél. 05 45 35 72 68.
Serge Poliakoff, de Moscou à Paris.
Jusqu'au 31 octobre.

POITIERS (86)
Musée Sainte-Croix.
Tél. 05 49 41 07 53.
Splendeurs baroques de Naples.
25 octobre-4 février 2007.

PROVENCE - ALPES - CÔTE D'AZUR
AIX-EN-PROVENCE (13)
Musée du Vieil-Aix.
Tél. 04 42 21 43 55.
Maîtres aixois au temps de Cézanne.
Jusqu'au 31 décembre.

Galerie du conseil général des Bouches-du-Rhône.
Tél. 04 42 93 03 67.
Rendons à Cézanne ce qui…
5 octobre-30 décembre.

ARLES (13)
Musée de l'Arles et de la Provence antiques.
Tél. 04 90 18 88 88.
Ingres et l'antique.
2 octobre-2 janvier 2007.

AVIGNON (84)
Musée Calvet.
Tél. 04 90 86 33 84.
Les maîtres du Nord.
Jusqu'au 27 mars 2007.

Musée Angladon.
Tél. 04 90 82 29 03.
Signac en Provence, de la vallée du Rhône à la Méditerranée.
Jusqu'au 15 octobre.

BIOT (06)
Musée d'Histoire et de Céramique biotoises.
Tél. 04 93 65 54 54.
Fernand Léger à Biot, céramiques.
Jusqu'au 30 avril 2007.

CANNES (06)
Galerie de La Malmaison.
Tél. 04 97 06 44 90.
Hommage à Arman (1928-2005). Les inédits de la collection Jean Ferrero.
Jusqu'au 26 novembre.

DIGNE-LES-BAINS (04)
CAIRN, musée-promenade.
Tél. 04 92 31 45 29.
Giuseppe Penone.
Jusqu'au 29 octobre.

MARSEILLE (13)
Palais des Arts.
Tél. 04 91 42 51 50.
Louis-Mathieu et André Verdilhan, deux visages de la modernité en Provence.
6 octobre-18 février 2007.

MOUANS-SARTOUX (06)
Espace de l'art concret – donation Albers-Honegger, château. Tél. 04 93 75 71 50.
Art au quotidien. Habiter l'art.
Jusqu'au 7 janvier 2007.

NICE (06)
Musée des Beaux-Arts.
Tél. 04 92 15 28 28.
Joie, drames et lumière. Raoul Dufy, Gustav-Adolf Mossa, Jules Chéret, œuvres sur papier.
Jusqu'au 29 octobre.

SAINT-PAUL-DE-VENCE (06)
Fondation Maeght.
Tél. 04 93 32 81 63.
Le noir est une couleur. Hommage vivant à Aimé Maeght.
Jusqu'au 5 novembre.

SAINT-RÉMY-DE-PROVENCE (13)
Centre d'Art Présence Van Gogh. Tél. 04 90 92 34 72.
Albert Gleizes. Peintures, gouaches, dessins, de 1901 à 1952.
Jusqu'au 30 décembre.
Édouard Pignon, au cœur du monde cézannien. Céramiques, peintures…
Jusqu'au 5 novembre.

SAINT-TROPEZ (83)
Musée de l'Annonciade.
Tél. 04 94 17 84 10.
Le Cavalier Bleu, 1908-1914.
Jusqu'au 16 octobre.

TOULON (83)
Hôtel des Arts.
Tél. 04 94 91 69 18.
Tàpies dans sa lumière.
Jusqu'au 19 novembre.

VALLAURIS (06)
Musée Magnelli – musée de la Céramique.
Tél. 04 93 64 16 05.
Biennale internationale de la céramique.
Jusqu'au 20 novembre.

RHÔNE-ALPES
BOURG-EN-BRESSE (01)
Monastère royal de Brou.
Tél. 04 74 22 83 83.
Brou, chef-d'œuvre d'une fille d'empereur. 1906 : et Marguerite fonda Brou.
Jusqu'au 15 octobre.

LA TRONCHE (38)
Musée Hébert.
Tél. 04 76 42 46 12.
François Weil, sculptures.
Jusqu'au 31 octobre.

9 - 12
NOVEMBRE
2006

SAVOIR-FAIRE

TRANSMISSION

DÉVELOPPEMENT
ÉCONOMIQUE

EUROPE

SALON
DU
PATRIMOINE
CULTUREL

THÈMES 2006

ENTREPRISE & PATRIMOINES
EUROPE & PATRIMOINES

CARROUSEL DU LOUVRE ▪ PARIS

www.patrimoineculturel.com
01 49 53 27 00

Promenades italiennes. Études d'Ernest Hébert.
Jusqu'au 31 décembre.

LYON (69)
Musée gallo-romain de Lyon Fourvière.
Tél. 04 72 38 49 30.
Par Toutatis ! La religion des Gaulois.
Jusqu'au 7 janvier 2007.

Musée d'Art sacré de Lyon-Fourvière.
Tél. 04 78 25 13 01.
Désir de Jérusalem. Pélerinage en terre sainte.
28 septembre-7 janvier 2007.

Musée d'Art contemporain.
Tél. 04 72 69 17 17.
Chiho Aoshima, Mr. et Aya Takano.
Jusqu'au 31 décembre.
Robert Morris, *Threadwaste*, 1968, et *Portland Mirrors*, 1977 : 2 œuvres du musée.
Jusqu'au 31 décembre.

ROANNE (42)
Musée des Beaux-Arts.
Tél. 04 77 23 68 77.
Peintres du désert. Missions artistiques au Sahara, 1850-1975.
Jusqu'au 26 novembre.

VILLEFRANCHE-SUR-SAÔNE (69)
Musée Paul Dini.
Tél. 04 74 68 33 70.
Les femmes peintres et l'avant-garde, 1900-1930. Suzanne Valadon, Jacqueline Marval, Émilie Charmy et Georgette Agutte.
15 octobre-11 février 2007.

MONACO
Salle d'exposition du quai Antoine 1er.
Tél. 00 377 93 15 83 05.
Acte 2 : *Lumière, opacité, transparence,* du nouveau musée national de Monaco.
6 octobre-26 novembre.

ALLEMAGNE
BADEN-BADEN
Museum Frieder Burda.
Tél. 00 49 72 21 39 89 80.
Chagall dans une nouvelle lumière.
Jusqu'au 29 octobre.

BERLIN
Deutsches Historisches Museum.
Tél. 00 49 30 20 30 40.
Le Saint Empire romain germanique, 962-1806. Le vieil Empire et les nouveaux États, 1495-1806.
Jusqu'au 10 décembre.

BONN
Kunst und Austellungshalle.
Tél. 00 49 228 9171 201.
La collection Guggenheim.
Jusqu'au 7 janvier 2007.

DRESDE
Gemäldegalerie Alte Meister.
Tél. 00 49 351 49 14 20 00.
Cranach, les tableaux de Dresde.
Jusqu'au 7 janvier 2007.

Ausstellungsgebäude.
Tél. 00 49 351 49 14 20 00.
De Monet à Mondrian. Chefs-d'œuvre modernes des collections privées de Dresde.
Jusqu'au 14 janvier 2007.

DÜSSELDORF
Museum Kunst Palast.
Tél. 00 49 211 89 92 460.
Caravage, sur les traces d'un génie.
Jusqu'au 7 janvier 2007.
Corps transcrits sur papier. 100 dessins de 5 siècles.
30 septembre-12 novembre.

K20 – Kunstsammlung Nordrhein-Westfalen.
Tél. 00 49 211 8381 130.
Francis Bacon, la violence du réel.
Jusqu'au 7 janvier 2007.

K21 – Kunstsammlung Nordrhein-Westfalen.
Tél. 00 49 211 8381 600.
Juan Muñoz (1953-2001), *Rooms of my Mind.*
14 octobre-4 février 2007.

FRANCFORT-SUR-LE-MAIN
Städel Museum.
Tél. 00 49 69 60 50 98 0.
Image culte. Retable et peinture de dévotion de Duccio à Pérugin.
Jusqu'au 22 octobre.

HAMBOURG
Hamburger Kunsthalle.
Tél. 00 49 40 428 131 200.
Caspar David Friedrich, l'invention du romantisme.
7 octobre-28 janvier 2007.

MAGDEBOURG
Kulturhistorisches Museum.
Tél. 00 49 391 53 292 76.
Le Saint Empire romain germanique, 962-1806. D'Otton le Grand à la fin du Moyen Âge.
Jusqu'au 10 décembre.

MUNICH
Alte Pinakothek.
Tél. 00 49 89 23 805 216.
Léonard de Vinci, *La Vierge à l'œillet.*
Jusqu'au 3 décembre.
Cy Twombly, nouvelles sculptures.
Jusqu'au 7 janvier 2007.

Pinakothek der Moderne.
Tél. 00 49 89 23 805 360.
Georg Baselitz, *Remix.*
Jusqu'au 29 octobre.

SAARBRÜCKEN
Saarlandmuseum.
Tél. 00 49 681 9964 222.

Paul Klee. Temples, cités, palais.
14 octobre-14 janvier 2007.

STUTTGART
Staatsgalerie.
Tél. 00 49 711 4 70 40 0.
Le cabinet de Marcel Duchamp (gravures).
Jusqu'au 22 octobre.
Olaf Metzel, dessins.
Jusqu'au 22 octobre.

AUTRICHE
VIENNE
Albertina.
Tél. 00 43 1 534 83 0.
Picasso, peindre contre le temps.
Jusqu'au 7 janvier 2007.

Kunsthistorisches Museum.
Tél. 00 43 1 525 24 404.
Bellini, Giorgione, Titien, et la Renaissance de la peinture vénitienne.
17 octobre-7 janvier 2007.

Atelier Augarten.
Tél. 00 43 1 79 557 113.
Egon Schiele, modèle et adversaire dans l'art contemporain.
Jusqu'au 11 février 2007.

BELGIQUE
ANVERS
Koninklijk Museum voor Schone Kunsten.
Tél. 00 32 3 238 78 09.
Gorge(l). Angoisse et soulagement dans l'art, 1840-2006.
7 octobre-7 janvier 2007.

Provincial Museum Sterckshof – Zilvercentrum.
Tél. 00 32 3 360 52 52.
Argenterie d'Anvers.
1er octobre-7 janvier 2007.

BRUXELLES
Musées royaux des Beaux-Arts de Belgique.
Tél. 00 32 2 508 33 33.
Léon Spilliaert (1881-1946), un esprit libre.
Jusqu'au 4 février 2007.

Musées royaux d'Art et d'Histoire.
Tél. 00 32 2 741 72 11.
Les maîtres de l'art précolombien. La collection Dora et Paul Janssen.
Jusqu'au 29 avril 2007.

Palais des Beaux-Arts.
Tél. 00 32 2 507 82 00.
Nala Damayanti, miniatures peintes.
7 octobre-10 décembre.
L'Inde contemporaine.
7 octobre-21 janvier 2007.
Énergie éternelle. 1500 ans d'art indien.
17 octobre-21 janvier 2007.

HORNU
Musée des Arts contemporains.
Tél. 00 32 65 65 21 21.

Sisyphe. Le jour se lève.
Jusqu'au 14 janvier 2007.
Les parures de la haute couture. Bijoux de mode.
15 octobre-18 février 2007.

MORLANWELZ
Musée Royal de Mariemont.
Tél. 00 32 64 21 21 93.
Celtes. Belges, Boïens, Rèmes, Volques…
Jusqu'au 3 décembre.

OSTENDE
Musée d'Art moderne.
Tél. 00 32 59 50 81 18.
Ensor et les avant-gardes à la mer.
30 septembre-25 février 2007.

CANADA
MONTRÉAL
Musée des Beaux-Arts.
Tél. 00 1 514 285 2000.
Girodet, le rebelle romantique.
12 octobre-21 janvier 2007.
L'univers fantasmagorique d'Odilon Redon. Lithographies des collections du musée et du musée des Beaux-Arts du Canada.
12 octobre-21 janvier 2007.

QUÉBEC
Musée national des Beaux-Arts du Québec.
Tél. 00 1 418 643 2150.
De Caillebotte à Picasso. Chefs-d'œuvre de la collection Oscar Ghez.
12 octobre-7 janvier 2007.

TORONTO
Musée royal de l'Ontario.
Tél. 00 1 416 586 8000.
Déco Lalique.
Jusqu'au 28 janvier 2007.
Arts et design italiens : le XXe siècle.
28 octobre-7 janvier 2007.

DANEMARK
CHARLOTTENLUND
Ordrupgaard.
Tél. 00 45 39 64 11 83.
Hammershøi et Dreyer, la magie des images.
Jusqu'au 7 janvier 2007.

COPENHAGUE
Ny Carlsberg Glyptotek.
Tél. 00 45 33 41 81 41.
Les femmes et l'impressionnisme.
6 octobre-21 janvier 2007.

ESPAGNE
BARCELONE
Caixa Forum.
Tél. 00 34 93 476 86 00.
Henry Moore.
Jusqu'au 29 octobre.

Museu Nacional d'Art de Catalunya, Palau Nacional.
Tél. 00 34 93 622 03 76.
Domènech i Montaner (1850-1923) et la découverte de l'art romanesque.
Jusqu'au 29 octobre.

Le séjour en Espagne d'Alexandre de Laborde.
Jusqu'au 29 octobre.

BILBAO
Museo Guggenheim.
Tél. 00 34 94 435 90 80.
100% Afrique.
12 octobre-février 2007.

MADRID
Museo Nacional del Prado.
Tél. 00 34 91 330 28 00.
Le dessin caché. Dessins sous-jacents dans les peintures des XVe et XVIe s.
Jusqu'au 5 novembre.

Museo Thyssen-Bornemisza.
Tél. 00 34 913 690 151.
Sargent / Sorolla.
3 octobre-8 janvier 2007.

ÉTATS-UNIS
ATLANTA
High Museum of Art.
Tél. 00 404 733 4400.
De Louis XIV à Louis XVI, la constitution du cabinet des Dessins des rois de France.
14 octobre-21 janvier 2007.
Les collections royales françaises.
14 octobre-2 septembre 2007.

CLEVELAND
Cleveland Museum of Art.
Tél. 00 1 216 421 7340.
Barcelone et la modernité : Picasso, Gaudí, Miró, Dalí.
15 octobre-7 janvier 2007.

FORT WORTH
Kimbell Art Museum.
Tél. 00 1 817 332 8451.
Hatchepsout : de la reine au pharaon.
Jusqu'au 31 décembre.

LOS ANGELES
The J. Paul Getty Museum.
Tél. 00 1 310 440 7300.
Un cabinet Renaissance redécouvert.
Jusqu'au 28 décembre 2008.

Museum of Contemporary Art.
Tél. 00 1 213 626 6222.
D'après Cézanne.
Jusqu'au 6 mars 2007.
Martin Kippenberger.
22 octobre-22 janvier 2007.

NEW YORK
Metropolitan Museum of Art. Tél. 00 1 212 570 3951.
De Cézanne à Picasso : Ambroise Vollard, patron de l'avant-garde.
Jusqu'au 7 janvier 2007.
Sean Scully, *Wall of Light.*
Jusqu'au 14 janvier 2007.
Le visage dans la sculpture médiévale.
Jusqu'au 18 février 2007.

Frick Collection.
Tél. 00 1 212 288 0700.
Cimabue et les premières peintures de dévotion italiennes.
3 octobre-31 décembre.

**Domenico Tiepolo
(1727-1804),
un nouveau testament.**
24 octobre-7 janvier 2007.

Guggenheim Museum.
Tél. 00 1 212 423 3500.
Zaha Hadid.
Jusqu'au 25 octobre.
**Lucio Fontana,
Venise / New York.**
10 octobre-21 janvier 2007.

National Gallery of Art.
Tél. 00 1 202 842 6353.
**Le Douanier Rousseau,
jungles à Paris.**
Jusqu'au 15 octobre.
**Constable :
les grands paysages.**
1er octobre-31 décembre.
**Alexandre-Louis-Marie
Charpentier (1856-1909).**
Jusqu'au 28 janvier 2007.

GRANDE-BRETAGNE
National Gallery.
Tél. 00 44 20 7747 2885.
**De Manet à Picasso :
réaménagement des
collections modernes.**
Jusqu'au 20 mai 2007.
Cézanne en Grande-Bretagne.
4 octobre-7 janvier 2007.
Velázquez.
18 octobre-21 janvier 2007.

Royal Academy of Arts.
Tél. 00 44 20 7300 8000.
Modigliani et ses modèles.
Jusqu'au 15 octobre.

Tate Britain.
Tél. 00 44 20 7887 8008.
George Stubbs (1724-1806).
Jusqu'au 14 janvier 2007.
Holbein en Angleterre.
28 septembre-7 janvier 2007.

Tate Modern.
Tél. 00 44 20 7887 8000.
**Peter Fischli & David Weiss,
Flowers & Questions.
Une rétrospective.**
11 octobre-14 janvier 2007.
***The Unilever Series*:
Carsten Höller.**
10 octobre-4 avril 2007.

Victoria and Albert Museum.
Tél. 00 44 17 1938 8361.
**Léonard de Vinci,
*experience, experiment
and design*.**
Jusqu'au 7 janvier 2007.
**L'aménagement
des demeures de la
Renaissance en Italie.**
5 octobre-7 janvier 2007.

Courtauld Institute of Art.
Tél. 00 44 20 7848 2777.
**David Téniers et le théâtre
de la peinture.**
19 octobre-21 janvier 2007.

The Gilbert Collection.
Tél. 00 44 20 7420 9400.

Tiffany, 1837-1987.
Jusqu'au 26 novembre.
**L'argenterie anglaise
à la cour des tsars.**
21 octobre-28 janvier 2007.

Estorick Collection
of Modern Italian Art.
Tél. 00 44 20 7704 9522.
**Luigi Russolo : la vie et
l'œuvre d'un futuriste.**
4 octobre-17 décembre.

The Queen's Gallery,
Buckingham Palace.
Tél. 00 44 20 7321 2233.
**Aquarelles et dessins de la
collection de la reine mère.**
Jusqu'au 29 octobre.

Ashmolean Museum.
Tél. 00 44 18 6527 8000.
**Découvrir le monde
de Léonard dans les
collections Oxford.**
Jusqu'au 5 novembre.
Trésors de l'Ashmolean.
Jusqu'au 31 décembre 2008.

ITALIE
Museo Civico Archeologico.
Tél. 00 39 02 54 915.
Annibal Carrache.
Jusqu'au 7 janvier 2007.

Pinacoteca Nazionale.
Tél. 00 39 051 42 09 411.
**Les œuvres d'Annibal
Carrache de la Pinacoteca.**
Jusqu'au 7 janvier 2007.

Pinacoteca Tosio Martinengo.
Tél. 00 39 030 377 4999.
**Le sacré et le profane
dans les œuvres tardives
de Girolamo Romanino
(1484/1487-1560).**
Jusqu'au 8 octobre.

Museo di Santa Giulia.
Tél. 00 39 030 29 77 800.
**Turner et les
impressionnistes.
La grande histoire du
paysage moderne en Europe.**
28 octobre-25 mars 2007.
Mondrian.
28 octobre-25 mars 2007.

Palazzo dei Diamanti.
Tél. 00 39 0532 244 949.
André Derain.
Jusqu'au 7 janvier 2007.

Palazzo Pitti.
Tél. 00 39 055 26 54 321.
**Art et manufacture de cour
à Florence, 1732-1815.**
Jusqu'au 5 novembre.

Galleria degli Uffizi.
Tél. 00 39 055 26 54 321.
**L'esprit de Léonard. Le
génie universel au travail.**
Jusqu'au 7 janvier 2007.

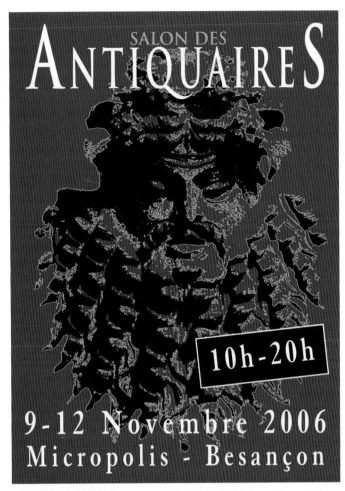

CALENDRIER DES EXPOSITIONS

MAMIANO DI TRAVERSETOLO
Fondazione Magnani Rocca.
Tél. 00 39 0521 848 327.
Goya et la tradition italienne.
Jusqu'au 3 décembre.

MANTOUE
Palazzo Te.
Tél. 00 39 02 43 35 35 22.
Mantegna à Mantoue, 1460-1506.
Jusqu'au 14 janvier 2007.

MILAN
Pinacoteca di Brera.
Tél. 00 39 02 72 26 31.
Ambrogio Da Fossano, dit le Bourguignon (vers 1455-1522).
Jusqu'au 29 octobre.

PADOUE
Musei Civici agli Eremitani.
Tél. 00 39 049 20 10 023.
Mantegna et Padoue, 1445-1460.
Jusqu'au 14 janvier 2007.

PIACENZA
Palazzo Farnese.
Tél. 00 39 05 23 59 03 72.
L'âme du XXe siècle. De Chirico à Fontana. La collection Mazzolini.
30 septembre-4 février 2007.

ROME
Museo Nazionale di Castel Sant'Angelo.
Tél. 00 39 06 39 96 76 00.
Rome baroque. Bernin, Borromini, Pierre de Cortone.
Jusqu'au 29 octobre.

TAORMINE
Chiesa del Carmine.
Tél. 00 39 942 232 43.
Miró à Taormine.
Jusqu'au 29 octobre.

TRENTE
Castello Del Buonconsiglio.
Tél. 00 39 0461 233 770.
Girolamo Romanino (1484/1487-1560), un peintre révolté de la Renaissance italienne.
Jusqu'au 29 octobre.

VENISE
Palazzo Ducale.
Tél. 00 39 041 271 5911.
Le Paradis **de Tintoret. Un concours pour le palais des Doges.**
Jusqu'au 30 novembre.

VÉRONE
Palazzo della Gran Guardia.
Tél. 00 39 04 58 03 34 00.
Mantegna et les arts à Vérone, 1450-1500.
Jusqu'au 14 janvier 2007.

VICENCE
Museo Palladio.
Tél. 00 39 0444 32 30 14.
Michel-Ange et le dessin d'architecture.
Jusqu'au 10 décembre.

LUXEMBOURG
Musée d'Histoire et d'Art.
Tél. 00 352 479 330 208.
Sigismond de Luxembourg, roi et empereur (1387-1437). Art et culture d'une cour royale à la fin du Moyen Âge.
Jusqu'au 15 octobre.

PAYS-BAS
AMSTERDAM
Rijksmuseum.
Tél. 00 31 20 674 7000.
Dessins de Rembrandt du Rijksmuseum. Volet 1 : Rembrandt, le conteur.
Jusqu'au 11 octobre.
Dessins de Rembrandt du Rijksmuseum. Volet 2 : Rembrandt, l'observateur.
14 octobre-31 décembre.
Rijksmuseum, les chefs-d'œuvre.
Jusqu'à milieu 2008.

Van Gogh Museum.
Tél. 00 31 20 570 52 00.
Merveilles du Japon impérial : art Meiji de la collection Khalili.
Jusqu'au 22 octobre.

Hermitage Amsterdam.
Tél. 00 31 20 530 87 55.
Les collectionneurs à Saint-Pétersbourg.
7 octobre-11 mars 2007.

Het Rembrandthuis.
Tél. 00 31 20 520 04 00.
Rembrandt et Uylenburgh, vendre des chefs-d'œuvre.
Jusqu'au 10 décembre.

LA HAYE
Mauritshuis.
Tél. 00 31 70 302 34 56.
Rubens et Brueghel, une collaboration amicale.
21 octobre-28 janvier 2007.

Gemeentemuseum.
Tél. 00 31 70 338 11 11.

Un régal décoratif. Céramiques hollandaises, 1880-1940.
Jusqu'au 5 novembre.
Jan Toorop à Vienne, inspirant Klimt.
7 octobre-7 janvier 2007.

ROTTERDAM
Museum Boijmans Van Beuningen.
Tél. 00 31 10 44 19 475.
Voici Magritte. Gouaches, collages…
Jusqu'au 3 décembre.

SUÈDE
STOCKHOLM
Nationalmuseum.
Tél. 00 46 8 51 95 43 00.
Un miroir de la nature. La peinture de paysage nordique, 1840-1910.
30 septembre-14 janvier 2007.

SUISSE
BÂLE
Kunstmuseum.
Tél. 00 41 61 206 62 62.
Kandinsky, 1908-1922.
21 octobre-4 février 2007.

Musée Tinguely.
Tél. 00 41 61 681 93 20.
Niki et Jean, l'art et l'amour.
Jusqu'au 21 janvier 2007.

BERNE
Zentrum Paul Klee.
Tél. 00 41 31 359 01 01.
Paul Klee, rythme et mélodie.
Jusqu'au 12 novembre.

GENÈVE
Cabinet des Estampes.
Tél. 00 41 22 418 27 70.
Henri Matisse, *Traits essentiels.* **Gravures et monotypes, 1906-1952.**
Jusqu'au 17 décembre.

LAUSANNE
Fondation de l'Hermitage.
Tél. 00 41 21 320 50 01.
Baselitz, une seule passion, la peinture.
Jusqu'au 29 octobre.

MARTIGNY
Fondation Pierre Gianadda.
Tél. 00 41 27 722 39 78.
Le Metropolitan Museum of Art, chefs-d'œuvre de la peinture européenne.
Jusqu'au 12 novembre.

RIEHEN
Fondation Beyeler.
Tél. 00 41 61 645 97 00.
Eros. Rodin et Picasso.
Jusqu'au 7 octobre.
Eros et l'art moderne.
8 octobre-18 février 2007.

RIGGISBERG
Abegg-Stiftung. Tél. 00 41 31 808 12 01.
L'or tissé. Fils de métal dans l'art textile.
Jusqu'au 12 novembre.

VEVEY
Cabinet cantonal des Estampes – musée Jenish.
Tél. 00 41 21 921 34 01.
Ambroise Vollard éditeur. Cézanne, Bonnard, Picasso…
Jusqu'au 5 novembre.

CALENDRIER DES FOIRES ET SALONS

FRANCE
ANNECY (74)
25e salon d'antiquités, parc des expositions.
13-16 octobre.

BEAUNE (21)
Les antiquaires aux Hospices de Beaune. 13-22 octobre.

BORDEAUX (33)
34e salon des antiquaires de Bordeaux-Port, quai des Chartrons. 7-15 octobre.

DIJON (21)
28e puces dijonnaises, parc des expositions.
6-8 octobre.

FONTFROIDE (11)
Exposition-congrès de la photographie, abbaye de Fontfroide. 13-15 octobre.

LILLE (59)
Cadeaux à p'Art (objets de créateurs et d'artisans d'art), Lille Grand Palais.
27-29 octobre.

LOCTUDY (29)
Journées des métiers d'art, manoir de Kerazan.
20-22 octobre.

MONTROUGE (92)
Salon Jeune Création Européenne, théâtre de Montrouge.
23 septembre-13 octobre.

PARIS
5e Prestige des antiquaires, palais des Congrès.
23 septembre-2 octobre.

Expression libre au quartier Drouot.
5-7 octobre.

Objets d'exception, puces de Saint-Ouen. 6-8 octobre.

Grand marché d'art contemporain, place de la Bastille. 12-15 octobre.

15e Puces du Design, rue Montmartre et rue Bachaumont. 13-15 octobre.

Journées internationales de la marqueterie contemporaine, salle Olympe de Gouges.
14-22 octobre.

Portes ouvertes aux ateliers de Ménilmontant.
20-23 octobre.

Show Off : foire d'art contemporain, espace Cardin.
25-29 octobre.

Fiac, Grand Palais et Cour Carrée du Louvre.
26-30 octobre.

Slick : foire d'art contemporain, la Bellevilloise.
27-30 octobre.

Antiquités-brocante, espace Champerret.
27 octobre-5 novembre.

ROUEN (76)
L'art d'exception, quartier des antiquaires.
29 septembre-1er octobre.

VERSAILLES (78)
Fête d'automne des antiquaires de la Geôle.
12-15 octobre.

ALLEMAGNE
COLOGNE
Art Cologne, Kölnmesse.
1er-5 novembre.

ÉTATS-UNIS
NEW YORK
The International Art + Design Fair, 7th Regiment Armory.
6-11 octobre.

The International Fine Art and Antique Dealers Show, 7th Regiment Armory. 20-26 octobre.

GRANDE-BRETAGNE
LONDRES
Frieze Art Fair, Regent's Park.
12-15 octobre.

ITALIE
PARME
25e Mercanteinfiera Autumn, Fiere di Parma.
30 septembre-8 octobre.

 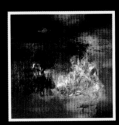

Complétez votre documentation

Sélection d'articles en rapport avec les sujets traités dans le présent numéro

DESSINS DU MUSÉE DE LYON
EOA 411. Le dessin français dans les collections de Weimar. De Callot à Girodet.
EOA 409. La collection de faïences et majoliques de Charles Damiron.
EOA 403. Deux siècles de dessin italien pour les musées de France.
EOA 386. Orléans : les révélations du fonds de dessins italiens.
EOA 364. L'Arcadie du Nord : dessins hollandais du musée Condé.
EOA 342. Chefs-d'oeuvre du dessin allemand et flamand à Chantilly.
EOA 321. La salle à manger du musée des arts décoratifs de Lyon.

Dossier de l'Art
DA 48. Lyon, le très riche musée des Arts décoratifs.

HENRY DASSON
EOA 403. Pierre-Gaston Brion, menuisier et sculpteur sur bois.
EOA 391. Les Cruchet, ornemanistes et menuisiers du XIXe.
EOA 189. La maison Ribailler et Mazaroz, sculpteurs-ébénistes au XIXe siècle.
EOA 142. Les Fourdinois, ébénistes sous le Second Empire.

YVES KLEIN
EOA 393. Alechinsky, cinq décennies de dessin.
EOA 389. Miró : l'invention du mirómonde.
EOA 378. Nicolas de Staël, le bouillonnement permanent de la peinture.

NICOLAS-HENRI JACOB
EOA 289. Henri Jacob, 1753-1824.

***INÉDIT** – Intermèdes propose désormais des voyages culturels sur mesure, à viv[re]
entre amis, à deux ou en solo ! Demandez à recevoir notre nouvelle brochure.*

Apprendre

Nos conférenciers, historiens et historiens d'arts, vous font partager leur passion et leur savoir. Pédagogues avant tout, ils vous permettent de développer vos connaissances en toute simplicité et dans la bonne humeur...

Découvrir

Nos programmes sont conçus pour vous offrir un éclairage original et enrichissant sur les pays et régions visités. Complets sans être exhaustifs pour autant, ils vous assurent une découverte en profondeur...

Intermèdes,
cultivez votre plaisir de voyager

Nous avons créé Intermèdes en pensant à ceux qui, comme vous, ont le goût de la culture et du voyage. Depuis plus de 10 ans, nous proposons chaque saison plus de 450 voyages culturels vers 50 destinations.

Partager

Nos voyages, en groupes volontairement restreints, vous permettent de rencontrer d'autres amateurs d'art ou d'histoire pour partager avec eux vos impressions, vos idées et votre goût de la culture...

Savourer

Quelle que soit la destination choisie, nous travaillons particulièrement l'équilibre et l'harmonie de nos programmes. Grâce à un bon rythme de visites, une organisation matérielle parfaitement rodée, vous savourez pleinement votre voyage afin que votre découverte culturelle reste avant tout un plaisir.

intermèdes
LE LOISIR CULTUREL

UN APERÇU DE NOS PROCHAINS DÉPARTS

- **Toscane médiévale**
  Circuit du 3 au 8 octobre 2006

- **Lisbonne, cité de l'Océan**
  Séjour du 4 au 8 octobre 2006

- **Dubrovnik**
  Séjour du 5 au 8 octobre 2006

- **Budapest, porte de l'Orient**
  Séjour du 5 au 8 octobre 2006

- **Malte, d'Ulysse aux chevaliers de Saint Jean**
  Séjour du 8 au 14 octobre 2006

DEMANDE DE DOCUMENTATION

OUI, je souhaite recevoir gratuitement :

❏ la brochure générale de tous les voyages Intermèdes.

❏ je souhaite également recevoir la broch[ure] des voyages individuels sur mesure :

❏ Asie ❏ Moyen-Orient ❏ Russie/Europe du N[ord]

❏ M. ❏ Mme ❏ Mlle

Nom : ....

Prénom : ....

Adresse : ....

....

Code postal : ....

Ville : ....

Tél. : ....

Courriel : ....

Merci de renvoyer ce coupon à
Intermèdes
60, rue La Boëtie – 75008 Pari[s]
ou téléphonez au : 01 45 61 90 90

Conformément à la loi Informatique et Liberté du 06/01/1978, vous bénéficiez d'un droit d'accès et de rectification aux données vous concernant en nous adressant un simple courrier.

FAT[C]

Intermèdes - SAS au capital de 285 651 euros – RCS Paris B390 976 249 - Licence n° 075950241

Achats / ventes

Divers

ANTIQUITES
——— BROCANTE

ESPACE

CHAMPERRET

PARIS 17ᵉ

27 Octobre au 5 Novembre 2006

11 h - 20 h

Nocturne, jusqu'à 22 h : JEUDI 2 NOVEMBRE

TOPEXPO Organisation

Jean-Marie et Pascale DATIN
www.topexpo.fr

30, rue de Saint-Malo de la Lande
50230 AGON-COUTAINVILLE
Tél. 02 33 47 56 57 - Fax 02 33 47 75
Portable : 06 03 80 34 71
e-mail : topexpo@topexpo.fr

L'ESTAMPILLE - OBJET D'ART
sera présent sur le stand d'ARTE LIBRERIA - Tél. 06 81 14 86 96
Achetez en ligne www.arte-libreria.com